Cuaderno para hispanohablantes

TEACHER'S EDITION

1A

Español

Santillana

SANTILLANA USA

Language Education Experts

***Español Santillana. Cuaderno para hispanohablantes* 1A** is a part of the Español Santillana project, a collaborative effort by two teams specializing in the design of Spanish-language educational materials. One team is located in the United States and the other in Spain.

Writers
Cristina Núñez Pereira
Fernando López Martínez

Developmental Editor
Cristina Núñez Pereira

Editorial Coordinator
Anne Smieszny

Editorial Director
Enrique Ferro

Español Santillana.
Cuaderno para hispanohablantes 1A
Heritage Speaker Workbook
Teacher's Annotated Edition
ISBN-13: 978-1-61605-149-5

Illustrator: **José Zazo**
Picture Coordinator: **Carlos Aguilera**

Production Manager: **Ángel García Encinar**

Production Coordinator: **Marisa Valbuena**

Design and Layout: **Rocío Martínez, Julio Hernández**

Proofreaders: **Cristina Durán, Marta López**

Photo Researchers: **Mercedes Barcenilla, Amparo Rodríguez**

Santillana USA Publishing Company, Inc.
2023 NW 84th Avenue, Doral, FL 33122
Printed by HCI Printing, Inc.

20 19 18 17 16   3 4 5 6 7 8 9 10

Contenidos

1 Mis datos personales

▶ **Completa la ficha con tus datos y dibuja tu cara en el recuadro.**

- Nombre: **Mario**
- Primer apellido: **Pérez**
- Segundo apellido: **Vargas**
- Lugar de nacimiento: **Albuquerque**
- Fecha de nacimiento: **10 de mayo de 1998**
- Domicilio actual
  - Dirección: **Ponderosa Avenue**
  - Localidad: **Albuquerque**
  - Estado: **Nuevo México**
  - País: **Estados Unidos**

2 Mi físico

▶ **Responde.**

1. ¿Cuánto mides? **Mido 5' 4''.**
2. ¿De qué color es tu pelo? **Mi pelo es moreno.**
3. ¿Cómo es tu cara? **Mi cara es ancha y redonda.**
4. ¿De qué color son tus ojos? **Son negros.**
5. ¿Cómo es tu nariz? **Es alargada.**
6. ¿Cómo sueles vestir? **Visto pantalones vaqueros y camisetas.**

▶ **Escribe un párrafo sobre ti mismo con los datos de las actividades 1 y 2.**

Me llamo... **Mario Pérez y soy de Nuevo México. Soy bastante alto. Soy moreno, tengo el pelo negro y los ojos también. La nariz la tengo alargada. Me gusta vestirme con pantalones vaqueros y con camisetas.**

3 Mi forma de ser

ANSWERS WILL VARY

▶ **Elige cinco palabras que describan cómo eres.**

Yo soy una persona...

☐ tímida ☑ sociable ☐ valiente ☐ curiosa ☐ paciente

☐ nerviosa ☑ divertida ☑ amable ☑ generosa ☐ cabezota

☑ estudiosa ☐ despistada ☐ inteligente ☐ dulce ☐ vanidosa

ANSWERS WILL VARY

▶ **Escribe una breve descripción de tu carácter. Puedes usar las palabras anteriores y añadir otras nuevas.**

Yo soy una persona sociable y divertida; me gusta estar con mis amigos y pasarla bien. Me gusta compartir mis cosas, soy generoso. También soy amable y cortés: respeto a la gente. ¡Y soy muy estudioso, ahora mismo estoy haciendo la tarea!

4 Hobbies y tiempo libre

ANSWERS WILL VARY

▶ **Completa cada ficha explicando lo que te gusta.**

DEPORTE
- Mi deporte favorito:
  tenis
- Deportes que practico:
  tenis, baloncesto
- Deportista favorito (a):
  Roger Federer

CINE
- Mi película favorita:
  El señor de los anillos
- Mi actor favorito:
  Leonardo di Caprio
- Mi actriz favorita:
  Vanessa Huygens

ANSWERS WILL VARY

▶ **Escribe un párrafo explicando qué te gusta hacer en tu tiempo libre.**

En mi tiempo libre, me gusta... mucho jugar al tenis; también me gusta pasear y estar con mis amigos. Me gusta la música y también ir al cine: me encantan las películas de acción.

5

5 **En mi escuela**

ANSWERS WILL VARY

▶ **Responde.**

1. ¿Cómo se llama tu escuela?

   <u>Escuela Secundaria Visión.</u>

2. ¿En qué ciudad se encuentra tu escuela?

   <u>En Pasadena.</u>

3. ¿Desde cuándo estudias en ella?

   <u>Desde que tengo cuatro años.</u>

4. ¿Cómo vas a la escuela: andando, en coche, en autobús...?

   <u>Voy en autobús escolar.</u>

5. ¿Qué es lo que más te gusta de tu escuela?

   <u>Mis compañeros.</u>

6. ¿Y lo que menos?

   <u>Hay pocas actividades deportivas.</u>

6 **¿Cómo es mi escuela?**

ANSWERS WILL VARY

▶ **Indica qué instalaciones hay en tu escuela.**

☑ gimnasio   ☑ laboratorio   ☑ biblioteca   ☐ aula de música

☑ patio   ☐ aula de teatro   ☑ aula de informática ☐ salón de actos

☐ aula de dibujo   ☑ cafetería   ☐ aula de fotografía ☐ comedor

ANSWERS WILL VARY

▶ **Dibuja un plano de tu escuela y escribe el nombre de sus instalaciones.**

7 ¡A clase!

▶ **Completa tu horario de clases.**

1. Escribe las horas y los días que faltan.
2. Escribe el nombre de cada materia: *Arte, Matemáticas, Música*…
3. Colorea las casillas de tus asignaturas favoritas.

Horas	Lunes	Martes	Miércoles	Jueves	Viernes
8:15	Español	Arte	Educación Física	Matemáticas	Arte
9:00	Inglés	Ciencias Sociales	Arte	Inglés	Español
9:45	Matemáticas	Inglés	Español	Arte	Matemáticas
10:30	Educación Física	Español	Matemáticas	Música	Ciencias Sociales
11:15	Almuerzo				
12:00	Arte	Música	Inglés	Español	Música
12:45	Ciencias Sociales	Educación Física	Música	Educación Física	
1:30					
2:15					

8 Mi aula

▶ **Completa con los nombres de tus compañeros y de tus profesores.**

1. Delante de mí se sienta ____**Johnny**____ y detrás de mí está ____**Jennifer**____.

2. A mi derecha se encuentra ____**Brittany**____ y a mi izquierda, ____**Jesús**____.

3. La clase de Ciencias nos la da __**el señor Smith**__ y la de Arte, __**la señora Wilson**__.

4. **El señor Díez**____ nos enseña Español y __**la señora Yang**__ nos enseña Inglés.

9 Nos llevamos bien

▶ **Escribe cuatro normas para mejorar la convivencia en tu escuela.**

__Respetar la opinión de los otros.__

__Respetar los turnos para hablar.__

__Compartir.__

__No pelear.__

10 Somos hispanos

▶ Completa los datos de los siguientes personajes.

Sara Ramírez

Rafael Nadal

Alejandro Sanz

profesión	actriz	deportista/tenista	cantante
país de origen	México	España	España

▶ Escribe el nombre de otros hispanos famosos que conozcas.

Shakira, Benicio del Toro, Antonio Banderas, Penélope Cruz.

11 Mi comunidad

▶ Ubica la ciudad en la que vives en el mapa y responde a las preguntas.

1. ¿En qué estado vives? ¿Se habla español en ese estado?

   En California. Sí.

2. ¿Qué comunidades de hispanos conviven en tu ciudad?

   Hay mexicanos y guatemaltecos.

3. ¿A qué comunidad perteneces tú?

   Yo soy de origen mexicano.

12 **Somos distintos, somos iguales**

▶ **Escribe cinco rasgos típicos de tu comunidad. Después, escribe otros cinco rasgos que creas que tu comunidad comparte con todas las demás.**

Rasgos diferentes	Rasgos compartidos
hablamos español	nos gusta divertirnos
mantenemos nuestras tradiciones	respetamos las leyes
celebramos quinceañeras	ayudamos a los demás
comemos chile y aguacate	cuidamos la naturaleza
cantamos corridos	somos alegres

13 **Ven a visitarme**

▶ **Escribe un correo electrónico a un amigo dándole razones para visitar tu país de origen.**

1. Completa las siguientes fichas con razones para que tu amigo haga ese viaje.

LUGARES DE INTERÉS
- Monumentos:

  Ángel de la Independencia

  Castillo de Chapultepec
- Paisajes:

  montañas

  desiertos
- Ciudades:

  Ciudad de México

  Acapulco

TRADICIONES Y GASTRONOMÍA
- Costumbres:

  la quinceañera

  celebración del día de Reyes
- Fiestas importantes:

  día de los Muertos

  día de la Independencia
- Platos típicos:

  tacos

  enchiladas

2. Escribe ahora el correo electrónico.

Hola, Jesús:

Tienes que visitar México. Es un país extraordinario: sus paisajes son

increíbles y su gente es maravillosa. Además, la comida es deliciosa.

Un abrazo,

Jaime

14 Orígenes diversos

▶ **Pregunta a tus compañeros de qué país proceden y ubica en el mapa sus países de origen.**

Panamá

▶ **Responde.**

1. ¿De qué continente son la mayoría de tus compañeros?

   De América.

2. ¿Cuál es el país de origen mayoritario?

   Estados Unidos.

3. ¿Has visitado alguno de estos países? ¿Cuál o cuáles?

   Sí: México y China.

15 Así es mi familia

▶ **Responde.**

1. ¿De qué país o países proceden tus abuelos?

   Mis abuelos maternos son de Perú.

2. ¿Quiénes fueron los primeros familiares tuyos que se instalaron en los Estados Unidos?

   Mis abuelos maternos.

3. ¿Con qué familiares te comunicas en español? ¿Y en inglés?

   Con mis abuelos y con mi madre. Con los demás, hablo inglés.

16 **Mi país**

▶ **Completa el siguiente test sobre tu país de origen.** México

1. Escribe el nombre de personajes célebres nacidos allí.

- Un escritor: **Octavio Paz**
- Una deportista: **Madaí Pérez**
- Un empresario: **Carlos Slim**
- Una actriz: **Salma Hayek**
- Una cantante: **Julieta Venegas**
- Un músico: **Carlos Santana**
- Un político: **Vicente Fox**
- Una pintora: **Frida Kahlo**

2. Dibuja la silueta del país y escribe el nombre de los países con los que limita.

México limita con los Estados Unidos, con Belice y con Guatemala.

3. Escribe el nombre de tres platos típicos.

Guacamole, enchiladas, mole.

17 **Viajando juntos**

▶ **Escribe un breve texto sobre tu país de origen y haz un dibujo. Hazlo así.**

1. Si has estado allí, describe tu experiencia: qué te gustó más, qué llamó tu atención. Luego haz un dibujo de algún elemento de tu país que te guste.

2. Si no has estado allí todavía, escribe qué te gustaría conocer. Y haz un dibujo de cómo imaginas que es tu país.

Yo nunca he estado en México, pero mis papás me han dicho que es un país precioso. Creo que las playas del Caribe son espectaculares y me gustaría mucho conocerlas. Además, en México hay tradiciones muy diferentes en las que me gustaría participar.

18 **El español, un idioma importante**

▶ Lee las viñetas y responde.

Estudio español porque es una de las lenguas más habladas en todo el mundo.

Saber español es muy importante para mi futuro profesional.

El español es muy útil para vivir y trabajar en los Estados Unidos.

Aprendo español para conocer otras culturas hispanas.

1. ¿Cuál de estos cuatro motivos para saber español es más importante para ti? ¿Por qué?

   El futuro profesional, porque quiero ser un buen médico que pueda tratar a personas de distinto origen.

2. ¿Qué otros motivos se te ocurren para saber español?

   Porque es el idioma de mis padres.

   Porque me gusta la música hispana.

19 **El español en mi familia**

▶ Responde.

1. ¿Quiénes hablan español en tu familia?

   Mis abuelos, mi madre y mi hermana.

2. ¿Con qué familiares hablas normalmente español?

   Con mis abuelos y con mi madre.

3. ¿Hablas a menudo español cuando estás en casa? ¿Por qué?

   Sí, porque con mi madre hablo español.

20 **Hablando por los codos**

▶ **Elige la respuesta adecuada en cada caso.**

1. Uso el español al menos una vez al día.
   (a) Siempre.   b) A menudo.   c) Solo a veces.   d) Nunca.

2. Hablo en español con mis amigos.
   (a) Siempre.   b) A menudo.   c) Solo a veces.   d) Nunca.

3. Veo la televisión en español.
   (a) Siempre.   b) A menudo.   c) Solo a veces.   d) Nunca.

4. Escucho música en español.
   (a) Siempre.   b) A menudo.   c) Solo a veces.   d) Nunca.

5. Entiendo bien las canciones en español.
   (a) Siempre.   b) A menudo.   c) Solo a veces.   d) Nunca.

6. Visito páginas web en español.
   (a) Siempre.   b) A menudo.   c) Solo a veces.   d) Nunca.

7. Leo novelas o cómics en español.
   (a) Siempre.   b) A menudo.   c) Solo a veces.   d) Nunca.

8. Veo películas en español cuando voy al cine.
   (a) Siempre.   b) A menudo.   c) Solo a veces.   d) Nunca.

▶ **Suma tus respuestas y escribe tu resultado.**

a = 4 puntos	b = 3 puntos	c = 2 puntos	d = 1 punto

Tengo un total de **32 puntos.**

▶ **Lee y explica si estás de acuerdo con el resultado obtenido.**

De 24 a 32 puntos	De 12 a 24 puntos	De 0 a 12 puntos
¡Enhorabuena! Usas mucho el español en tu entorno. Mejorar te resultará fácil y divertido. ¡Sigue así!	Empleas el español en algunas ocasiones. Con este curso te expresarás mejor y usarás el español más a menudo. ¡Ánimo!	Apenas hablas en español. No pasa nada. ¡Puedes hacerlo! Sigue el curso con atención y lo hablarás por los codos.

Sí, me gusta poder hablar español, pero necesito mejorar. Además, me interesa mucho conocer nuevos aspectos de la cultura hispana.

EL ESPAÑOL EN LOS ESTADOS UNIDOS

En los Estados Unidos, el español está de moda

Se presenta la *Enciclopedia del español en los Estados Unidos*, una obra reciente y rigurosa sobre el habla y la cultura hispana en ese país.

México, 25 nov. El español está de moda. Esta es la certeza de los 40 especialistas que colaboraron en la *Enciclopedia del español en los Estados Unidos*. Esta obra, editada por Santillana y el Instituto Cervantes, se presentó ayer en la Ciudad de México.

El director de la Academia Mexicana de la Lengua, José Moreno de Alba, habló así sobre la importancia del español durante la presentación: «Es una lengua muy fuerte, muy unitaria, que permite comunicarse fácilmente con muchísimos países. Creo que sí, que el español goza de muy buena salud, tiene mucho éxito, sobre todo como enseñanza de segunda o tercera lengua. En los Estados Unidos o en Gran Bretaña el español ha desplazado a lenguas como el francés o el alemán».

Los Estados Unidos es el segundo país con mayor número de hispanohablantes después de México. La población de origen hispano en la nación americana suma hoy más de 45 millones y se prevé que supere los 132 millones en 2050.

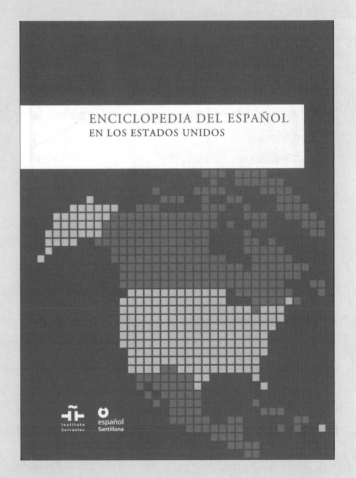

La *Enciclopedia del español en los Estados Unidos* ofrece información certera y exquisitos recorridos por el camino que ha seguido la cultura hispana en ese país.

Ayudará a comprender la realidad del que es ya el segundo idioma de comunicación del mundo.

VERÓNICA DÍAZ.
Milenio Diario (edición digital).
Texto adaptado.

21 **¿Qué datos son ciertos?**

▶ **Indica si las siguientes afirmaciones son ciertas (C) o falsas (F).**

1. Los Estados Unidos es el país con mayor población hispanohablante. Ⓒ F

2. El español solo se estudia en los Estados Unidos como lengua extranjera. C Ⓕ

3. La población hispana es cada vez más numerosa en los Estados Unidos. Ⓒ F

4. En los Estados Unidos, el español es más estudiado que el francés o el alemán. Ⓒ F

5. La *Enciclopedia del español en los Estados Unidos* tiene un solo autor. C Ⓕ

6. Más de 45 millones de estadounidenses son de origen hispano. Ⓒ F

22 **En una palabra**

▶ **Relaciona cada palabra del texto con la definición que le corresponde.**

Ⓐ 　　　　　　　　　　　　　　　　　　　　　　　Ⓑ

1. Trabajar con otras personas. 　　　　　　　　a. prever

2. Dar a conocer al público. 　　　　　　　　　b. desplazar

3. Ver o conocer algo con anticipación. 　　　　c. colaborar

4. Mover algo o alguien de su lugar o función. 　d. publicar

▶ **Escribe una oración con cada uno de los verbos.**

1. Mis profesores colaboran en el periódico de la escuela.

2. He leído todos los libros que ha publicado J. K. Rowling.

3. Me desplazo todos los días para ir a la escuela.

4. A veces podemos prever lo que ocurrirá en el futuro.

23 **Mirando al futuro**

▶ **Escribe al menos tres razones por las que quieras estudiar español.**

Es importante para mi futuro profesional.

Es muy útil para viajar.

Me gusta conocer otros idiomas y otras culturas.

▶ **Responde. ¿Qué te gustaría conseguir en este curso?**

Comunicarme mejor en español.

Conocer más sobre las distintas culturas hispanas.

Parte de mi cultura

24 **Se habla español**

▶ **Escribe nombres de países en los que se habla español.**

México	Venezuela	Nicaragua
Cuba	Colombia	Honduras
España	Puerto Rico	Costa Rica
Guatemala	Argentina	El Salvador
Perú	República Dominicana	Panamá

▶ **Responde.**

1. ¿En qué continente o continentes se encuentran esos países?

   En América y en Europa.

3. ¿Has visitado alguno? En ese caso, ¿cuál?

   Sí, México y Guatemala.

25 **¡A la mesa!**

▶ **Escribe debajo de cada foto el nombre del plato típico que le corresponda y el país del que procede.**

| **platos** | • *paella* | • *ceviche* | • *tacos* |
| **países** | • *Perú* | • *México* | • *España* |

①	②	③
ceviche	paella	tacos
Perú	España	México

▶ **Responde. ¿Has probado alguno de estos platos? En ese caso, indica cuáles y di si te gustaron o no.**

   Sí, los tacos. Me gustaron mucho: son picantes y muy sabrosos.

16

26 **Me suena**

▶ Investiga y escribe el nombre de los países en los que son típicos los siguientes géneros musicales.

- corrido __México__
- tango __Argentina__
- carnavalito __Perú, Bolivia__

- cumbia __Colombia__
- joropo __Venezuela__
- huayno __Perú, Bolivia__

27 **¿Iguales o distintos?**

En muchos países hispanos, el día 1 de noviembre se celebra el día de Todos los Santos.

▶ Responde.

1. ¿Qué se celebra en este día?

    __Es un homenaje a las personas que han muerto.__

2. ¿Se celebra esta fiesta en tu país de origen? ¿Cómo?

    __Sí, con piñatas, dulces y altares.__

3. ¿Cómo se celebra en otros países hispanos?

    __En España se celebra haciendo visitas a los cementerios y adornando__

    __con flores las sepulturas.__

4. ¿Cuál de los modos de celebrarlo te gusta más? ¿Por qué?

    __El de mi país, me parece más festivo.__

5. ¿Qué otras fiestas conoces que se celebren de distintas formas en los países hispanos?

    __La celebración de la quinceañera, el día de Reyes.__

28 **Cuestión de gustos**

▶ Escribe una lista de las costumbres que más te gusten de tu país de origen.

Me gusta... __mucho la celebración de la quinceañera, yo quiero__

__celebrarla como hacen en México. También me gustan las serenatas__

__de musica mariachi y los dulces del día de Muertos.__

La caja de música

Érase una vez una muñeca que vivía
dentro de una caja de música…

Y ahora, fíjate en esa muñeca; está vestida
como una bailarina de tiempos pasados y
tiene los brazos extendidos. Está así, quieta
y atenta por si alguien abre la caja.
Cuando esto sucede, suena una música
dulce. Entonces, ella empieza a bailar
girando sobre sí misma. La muñeca
no recuerda cuándo fue la última vez
que bailó. Fue hace tanto y tanto tiempo…

Tal vez lleve así días, meses, o incluso
años… Piensa que, si nadie abriera la caja,
podría quedarse así, quieta para siempre.

Pero hoy, precisamente, esa vigilia concienzuda[1] acaba de ser
interrumpida por un extraño suceso. Nuestra muñeca siente que algo
invade su caja, cruza por delante de sus ojos y cae delante de ella…
Va a iniciar el baile, pero la caja no se abre… ¿Qué es eso que está
en el suelo? ¿Por dónde ha entrado?

Aquello es algo que tú conoces muy bien: un avión de papel.
En cambio, ella nunca ha visto uno.

Tú también sabes que detrás de un avión de papel siempre corre
su hacedor… Y este es un niño. Un niño no más grande que la muñeca
y que se llama Nino. Nino busca por aquí, busca por allá, sube a lo alto
de la caja y… descubre la brecha por donde ha entrado el volador[2].
Mira adentro y… allí está, justo al lado de…

ALFONSO ZURRO. *La caja de música.* Texto adaptado.

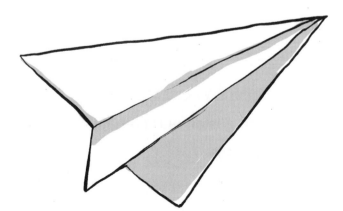

---

1. Vigilancia hecha con atención y cuidado.
2. El avión de papel.

29 **¿Qué quiere decir...?**

▶ Responde. ¿Qué significa la palabra *brecha*? Elige la opción adecuada.

☑ abertura ☐ rincón ☐ entrada

▶ Escribe una oración con la palabra *brecha*.

(ANSWERS WILL VARY)

Mi hermano es muy ágil, ayer se coló por una pequeña brecha de la tapia del jardín.

30 **Mensaje en clave**

▶ Escribe lo que pensaba la bailarina justo antes de que se abriera la caja.
Sustituye cada letra por la letra anterior (la A por la Z, la B por la A, la C por la B...).

NF HVTUBSJB TBMJS Z TFS MJCSF EVSBÑUF VÑBT IPSBT

Me gustaría salir y ser libre durante unas horas.

31 **La máquina de la verdad**

▶ Corrige las siguientes instrucciones para buscar en el diccionario.

1. Las palabras que empiezan por ñ, como *ñu*, se buscan en la letra *n*.

La palabras que empiezan por ñ, como *ñu*, se buscan en la letra ñ.

2. Las palabras *hueco* y *huevo* se buscan en la letra *u*.

Las palabras *hueco* y *huevo* se buscan en la letra h.

3. Las palabras que empiezan por *ch* se buscan en la letra *h*.

Las palabras que empiezan por *ch* se buscan en la letra c.

32 **Por orden alfabético**

▶ Ordena cada serie alfabéticamente.

1. ayer, avión, ayuda avión, ayer, ayuda

2. diente, dolor, ducha diente, dolor, ducha

3. esto, edad, en edad, en, esto

4. casa, ciudad, caza casa, caza, ciudad

▶ Une la segunda letra de cada serie para obtener una palabra secreta.

vida

33 Sopa de letras bailarina

▶ Busca cinco palabras del texto relacionadas con el baile y escríbelas.

Z	O	B	K	N	H	T	O	Q
P	E	A	S	D	U	V	D	R
B	A	I	L	A	R	I	N	A
A	M	L	A	N	A	R	A	B
I	P	O	M	Z	P	L	R	P
L	U	R	T	A	T	H	I	C
E	M	U	S	I	C	A	G	O

Las palabras son:

1. __música__

2. __bailo__

3. __bailarina__

4. __danza__

5. __girando__

34 ¿Cognados falsos?

▶ Indica si las siguientes palabras son cognados o falsos cognados.

	Cognado	Falso cognado
1. Cuando eso sucede, suena una **música** dulce. (**music**)	✓	
2. Podría quedarse así, **quieta** para siempre. (**quiet**)		✓
3. Es interrumpida por un extraño **suceso**. (**success**)		✓
4. Detrás de un avión de **papel** corre su hacedor. (**paper**)	✓	
5. ¿Por dónde ha **entrado**? (**entered**)	✓	

▶ Escribe algún cognado más que te ayude a entender el texto de la página 18.

__bailarina-*ballerina*, vigilia-*vigil*, extendidos-*extended*.__

35 De *hacer, hacedor*

▶ Escribe el nombre de las personas que realizan las siguientes acciones.

1. Hacer – dor   _hacedor_

2. Volar – dor   **volador**

3. Confesar – sor   **confesor**

4. Conducir – tor   **conductor**

5. Investigar – dor   **investigador**

6. Escribir – tor   **escritor**

7. Comprar – dor   **comprador**

8. Contar – dor   **contador**

9. Vender – dor   **vendedor**

10. Editar – tor   **editor**

36 **¡Repetimos!**

En español muchos verbos empiezan por el prefijo *re-*, que significa *volver a hacer algo*.

▶ Forma nuevas palabras añadiendo *re-* a los siguientes verbos.

re +	• *abrir* • *vivir* • *iniciar* • *conocer*

___reabrir___   ___revivir___   ___reiniciar___   ___reconocer___

▶ Completa las siguientes oraciones con los verbos que has formado.

1. Van a ___reabrir___ el restaurante en unos meses.

2. No pude ___reconocer___ a María en la fiesta: ¡estaba muy cambiada!

3. Se ha colgado el ordenador. Tendrás que ___reiniciarlo___.

4. Tras tomar un té, me sentí ___revivir___.

37 **Significados múltiples**

▶ Elige el dibujo correcto para cada palabra destacada. Usa el diccionario.

1. Érase una vez una **muñeca** que vivía dentro de una caja de música.

ⓐ    b.

2. A la muñeca le gusta sentarse en los **bancos**.

ⓐ    b.

3. La muñeca arregló la brecha pegándola con **cola**.

a.    ⓑ

4. Nino soñaba con escalar una **sierra** lejana.

a.    ⓑ

▶ Escribe otras palabras que conozcas que tengan más de un significado.

(ANSWERS WILL VARY)

clave, mango, capital, pico, cresta

ASÍ SOY YO

38 Me describo

▶ Escribe cómo eres físicamente.

Yo soy alta y morena. Tengo el pelo bastante largo y los ojos azules.

YO ESTUDIO AQUÍ

39 En clave

▶ Sustituye cada dibujo por el nombre de una asignatura.

1. A mi hermano le encanta la clase de  Música .

2. ¿Qué habéis hecho hoy en Matemáticas ?

40 Mi escuela es la mejor

▶ Escribe una lista de las instalaciones que hay en tu escuela.

Biblioteca, cafetería, oficinas y gimnasio.

ESTA ES MI COMUNIDAD

41 ¿Cómo somos?

▶ Escribe dos rasgos propios de tu comunidad.

Somos muy generosos.

Somos respetuosos con la naturaleza.

MIS RAÍCES

42 ¿De dónde somos?

▶ Escribe el nombre de los países de origen de tres de tus compañeros.

Corea   Perú   México

EL ESPAÑOL Y YO

43 **¿Cómo mejoro mi español?**

▶ Escribe tres acciones diarias para mejorar tu español.

1. Oír música en español.

2. Leer en español.

3. Ver la televisión en español.

RAZONES PARA ESTUDIAR ESPAÑOL

44 **El español en los Estados Unidos**

▶ Indica si las siguientes afirmaciones son ciertas (C) o falsas (F).

1. En los Estados Unidos se habla cada vez más español. Ⓒ F

2. El español se estudia en muchos países del mundo. Ⓒ F

3. España es el país con mayor número de hispanohablantes. C Ⓕ

45 **¿Estudiar español?**

▶ Escribe tres razones para estudiar español.

1. Conocer la cultura hispana.

2. Tener más posibilidades en el mercado laboral.

3. Hablar con mi familia.

PARTE DE MI CULTURA

46 **¿De dónde son?**

▶ Escribe el nombre de los países con los que se relacionan las siguientes palabras.

- ceviche __Perú__
- cumbia __Colombia__
- Halloween __Estados Unidos__
- taco __México__

ASÍ APRENDO

47 **Construimos palabras**

▶ Escribe el nombre de las personas que realizan las siguientes acciones.

- vender __vendedor__
- contar __contador__
- volar __volador__
- conducir __conductor__

Unidad 1 México

1 ¿Es verdad?

▶ **Indica si las siguientes afirmaciones son ciertas (C) o falsas (F).**

1. En México se habla español. — Ⓒ F
2. La capital de México es Guadalajara. — C Ⓕ
3. México tiene frontera con Honduras y Guatemala. — C Ⓕ
4. México es una monarquía. — C Ⓕ
5. En México se conservan monumentos y tradiciones aztecas. — Ⓒ F
6. La moneda de México es el peso mexicano. — Ⓒ F
7. México limita con el océano Atlántico y con el océano Pacífico. — Ⓒ F
8. En México no hay desiertos. — C Ⓕ

2 Mexicanos famosos

Hugo Sánchez

Carlos Santana

Diego Rivera

Guillermo del Toro

▶ **Completa las oraciones con el nombre de cada personaje.**

1. **Diego Rivera** fue un importante pintor mexicano.
2. **Carlos Santana** ganó nueve premios *Grammy* en 1999.
3. **Hugo Sánchez** fue el mejor jugador de fútbol mexicano del siglo xx.
4. **Guillermo del Toro** obtuvo seis nominaciones a los premios Óscar.

▶ **Escribe el nombre de dos mexicanos famosos y explica a qué se dedican.**

ANSWERS WILL VARY

1. **Gael García Bernal es actor.**

2. **Carlos Fuentes es escritor.**

3 **¡Qué desbarajuste!**

▶ **Ordena las letras para formar palabras correctas.**

1. País al norte de México
   SDTOSAE NDSOIU   Estados Unidos.

2. Límite oeste de México
   OOACNÉ FCOPICAÍ   Océano Pacífico.

3. País al sur de México
   GTMLAUEAA   Guatemala.

4. País al sureste de México
   LCEBIE   Belice.

5. Límite este de México
   ONÉACO LTÁNCIOAT   Océano Atlántico.

6. Capital de México
   DUICAD ED XICÉMO   Ciudad de México.

▶ **Escribe los nombres anteriores en el mapa.**

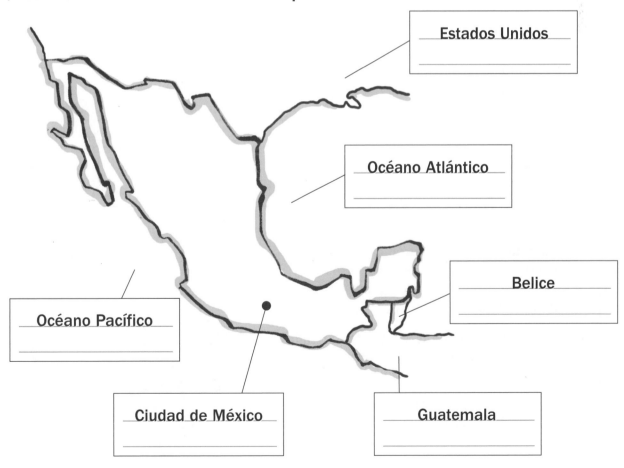

Estados Unidos

Océano Atlántico

Belice

Océano Pacífico

Ciudad de México

Guatemala

▶ **Ubica en el mapa otros lugares de México que conozcas.**

EL ESTADIO AZTECA

El estadio Azteca es una de las obras arquitectónicas más importantes del México moderno. Ocupa un terreno de 60.000 metros cuadrados y tiene capacidad para unos 100.000 espectadores. Fue diseñado por el arquitecto mexicano Pedro Ramírez Vázquez. En la actualidad cuenta con los últimos avances tecnológicos, como dos pantallas gigantes de 16 metros de largo.

Desde su inauguración en 1966, el estadio Azteca es la catedral del fútbol en México. Fue sede de la final de esta disciplina en los Juegos Olímpicos que se celebraron en la Ciudad de México en 1968, y de la inauguración y clausura de dos Copas del Mundo, en 1970 y 1986.

En este espectacular escenario también se han celebrado partidos de fútbol americano, peleas de boxeo, diversos eventos políticos y religiosos y conciertos de artistas de talla internacional, como Elton John, Michael Jackson, Gloria Estefan, Lenny Kravitz, Luis Miguel y U2.

Fuente: http://www.visitmexico.com. Texto adaptado.

Cancha

Las medidas de la cancha son de 68 metros de ancho por 105 metros de largo, como lo establece la FIFA (*Fédération Internationale de Football Association*).

La cancha está orientada de oriente a poniente, para que el sol no suponga una desventaja a ningún equipo.

Otra característica es la **máxima visibilidad** a la cancha desde cualquier punto de los palcos, las plateas o las gradas, de día y de noche.

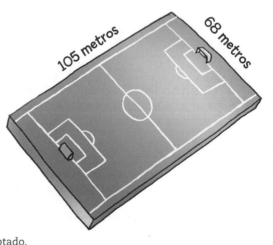

105 metros
68 metros

Fuente: http://www.esmas.com. Texto adaptado.

4 ¿Está en el texto?

▶ Indica si las siguientes afirmaciones son ciertas (C) o falsas (F).

1. El estadio Azteca está en la Ciudad de México.   Ⓒ   F
2. En el estadio Azteca solo se celebran partidos de fútbol.   C   Ⓕ
3. El estadio Azteca alberga acontecimientos no deportivos.   Ⓒ   F
4. Dentro del estadio Azteca hay una catedral.   C   Ⓕ

5 Historia del estadio Azteca

▶ Escribe en la línea del tiempo el número que corresponde a cada acontecimiento.

1. Se inaugura y se clausura la Copa del Mundo de fútbol en el estadio Azteca.
2. El arquitecto Pedro Ramírez Vázquez diseña el estadio Azteca.
3. Se inaugura el estadio Azteca.
4. Por segunda vez el estadio acoge la inauguración y clausura del Mundial de fútbol.
5. Se juega la final de fútbol de los Juegos Olímpicos.

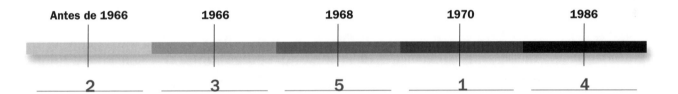

Antes de 1966	1966	1968	1970	1986
2	3	5	1	4

6 Interés del estadio Azteca

▶ Responde. ¿Qué crees que quiere decir la expresión «El estadio Azteca es la *catedral del fútbol* en México»?

Quiere decir que es el lugar más importante para jugar al fútbol

en México.

7 Yo organizaría...

▶ Responde. Si tuvieras la oportunidad, ¿qué evento te gustaría organizar en el estadio Azteca?

Un concierto, una fiesta, un partido de otro deporte.

EL CICLO DE LA VIDA

¿Quieres visitar el estadio Azteca? Infórmate de cuánto cuesta la entrada.
En muchos sitios hay descuentos para **niños** y para **personas mayores** de 60 años.
Los **jóvenes** y **adultos** pueden obtener reducción en el precio de la entrada.

8 Etapas de la vida

▶ **Escribe la palabra que corresponde a cada definición.**

✓ infancia   ✓ madurez   ✓ vejez   ✓ adolescencia   ✓ juventud

1. Período de la vida que sigue al nacimiento. __infancia__
2. Último período de la vida humana. __vejez__
3. Fase de plenitud vital. __madurez__
4. Período entre la infancia y la madurez. __juventud__
5. Período de desarrollo del cuerpo. __adolescencia__

▶ **Ordena las palabras anteriores de menor a mayor edad.**

1. __infancia__ 2. __adolescencia__ 3. __juventud__ 4. __madurez__ 5. __vejez__

▶ **Escribe una oración con cada una de las palabras anteriores.**

ANSWERS WILL VARY

1. __Felipe es mi amigo de la infancia.__
2. __La adolescencia es una etapa de cambios.__
3. __Mi abuela dice que la juventud es un tesoro.__
4. __La madurez es una etapa de la vida.__
5. __Muchos autores hablan de la importancia de una vejez feliz.__

9 **Personas de todas las edades**

▶ Clasifica las siguientes palabras.

✔ anciano   ✔ nene   ✔ adolescente   ✔ mozo   ✔ bebé
✔ chaval   ✔ octogenario   ✔ chiquillo   ✔ viejo   ✔ setentón
✔ muchacho   ✔ crío   ✔ chamaco   ✔ joven   ✔ niño

vejez	anciano, **octogenario, viejo, setentón**
infancia	**nene, crío, chiquillo, chamaco, bebé, niño**
adolescencia	**chaval, muchacho, adolescente, mozo, joven**

10 **De *joven, juventud***

▶ Completa con las siguientes palabras de la misma familia.

joven	• juventud • juvenil • rejuvenecer • jovenzuelo

1. Las abuelas dicen que sus nietos las _____**rejuvenecen**_____. Se sienten más jóvenes cuando están con ellos.

2. La _____**juventud**_____ mexicana sabe que es importante respetar el medio ambiente.

3. El padre de Jaime siempre usa ropa muy _____**juvenil**_____: camisetas con dibujos alegres y zapatillas de deporte.

4. Algunas personas piensan que los _____**jovenzuelos**_____ solo saben gastar dinero.

11 **¡Qué expresiones!**

Tengo siete vidas como los gatos.

▶ Responde. ¿Qué quiere decir la expresión *tener siete vidas*?

Que tienes mucha suerte para escapar del peligro.

LAS LETRAS Y LOS SONIDOS

Al escribir representamos los sonidos con letras.

- Generalmente, a cada sonido de la lengua le corresponde una letra. La palabra *pato*, por ejemplo, tiene cuatro sonidos y cuatro letras: *p*, *a*, *t*, *o*.

- A veces representamos un mismo sonido con letras diferentes. Por ejemplo, el sonido **K** se representa habitualmente con la letra *c*, como en *casa*, *cofre* y *cubo*, o con la letra *qu*, como en *queso* y *química*.

- Hay, además, una letra que no tiene ningún sonido: la *h* de *hombre*.

1 SONIDO = 1 LETRA	1 SONIDO = **MÁS** DE 1 LETRA	1 LETRA = NINGÚN SONIDO
p  pato	**c** ——— **qu** 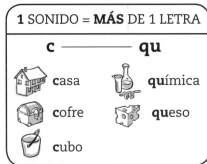 casa química cofre queso cubo	**h** 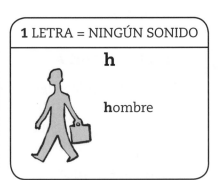 hombre

---

12 **Sonidos y letras**

▶ **Pronuncia y clasifica las siguientes palabras.**

quiniela   quejica   conejo   ciencia   cenar   culebra   cerro   cita
zapato   zócalo   corte   ciudad   celebrar   zueco   cerco   camión

SONIDO **K**, COMO EN *CASA*		SONIDO **Z**, COMO EN *CENA*	
LETRA **C**	LETRA **QU**	LETRA **Z**	LETRA **C**
conejo	quiniela	zapato	ciencia, cita
culebra	quejica	zócalo	ciudad, cerco
corte		zueco	cenar, cerro
camión			celebrar

▶ **Responde.**

- ¿Qué letras sirven para representar el sonido **K** (casa)?

  c, qu (y también k)

- ¿Qué letras sirven para representar el sonido **Z** (cena)?

  z, c

13 **Letras y sonidos**

▶ **Une las palabras que empiezan por los mismos sonidos.**

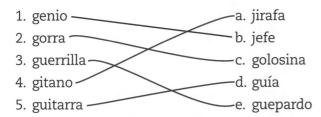

1. genio — a. jirafa
2. gorra — b. jefe
3. guerrilla — c. golosina
4. gitano — d. guía
5. guitarra — e. guepardo

▶ **Escribe las palabras que contienen el mismo sonido que el sonido inicial de *jirafa*.**

✔ajo   ✔colegio   guante   ✔jamón   ✔juerga   ✔abordaje   ✔genial   guinda

ajo, **colegio, jamón, juerga, abordaje, genial**

▶ **Elige la respuesta correcta.**

• ¿Qué letras representan el sonido inicial de *jirafa*?

☑ La letra *j* siempre y la letra *g* antes de *e*, *i*.

☐ La letra *g* siempre y la letra *j*.

• ¿Qué letras representan el sonido inicial de *guerrilla*?

☑ La letra *g* antes de *a*, *o*, *u* y las letras *gu* antes de *e*, *i*.

☐ Las letras *gu* antes de *e*, *i*.

14 **¿Son todos sonidos?**

▶ **Pronuncia y responde. ¿Qué letra de las siguientes palabras no representa ningún sonido?**

humo   búho   hilo   ahora   cacahuete   almohada   hotel

La letra *h.*

▶ **Escribe seis palabras más que tengan la misma letra.**

harina, herrero, helado, hamburguesa, hielo, hilo

15 **El reto de las palabras**

▶ **Forma todas las palabras que puedas con estas letras.**

s   r   a   n   e   i   d   o   t

reina **dinero, nido, rosa, sirena, sano, toda, traídos**

DESCRIBIR UN LUGAR

El estadio Azteca es una de las obras arquitectónicas más importantes del México moderno. Cuenta con los últimos avances tecnológicos, como dos pantallas gigantes de 16 metros de largo.

Describir un lugar consiste en **explicar cómo es y qué hay en él**.

16 **¿Cómo lo ordenamos?**

▶ **Completa la descripción con las siguientes expresiones.**

la parte superior

la parte inferior

debajo de

la parte central

El Monumento a la Independencia

El Monumento a la Independencia está situado en el paseo de La Reforma, en la Ciudad de México.

En **la parte superior** del monumento hay una estatua de un ángel. **La parte central** del monumento está formada por una larga columna.

En **la parte inferior** se distinguen dos niveles. En el primero hay cuatro estatuas, que representan la Ley, la Paz, la Justicia y la Guerra.

Por **debajo de** este nivel, hay otro conjunto de estatuas, dedicadas a los insurgentes.

17 Describibimos lugares

▶ Relaciona cada lugar de la columna A con la palabra de la columna B que le corresponde.

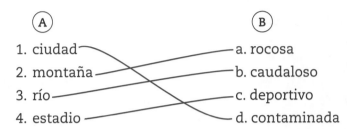

Ⓐ

1. ciudad
2. montaña
3. río
4. estadio

Ⓑ

a. rocosa
b. caudaloso
c. deportivo
d. contaminada

▶ Escribe palabras que sirvan para describir los siguientes lugares.

playa __bonita, soleada, desierta, extensa, pedregosa__

pueblo __pequeño, colorido, animado, abandonado, ganadero__

iglesia __grande, luminosa, católica, barroca, monumental__

bosque __sombrío, oscuro, tropical, denso, templado__

18 Mi lugar favorito

▶ Elige un lugar que te guste y escribe una descripción.

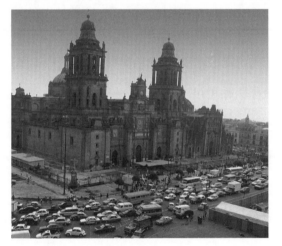

Ejemplo: La Catedral Metropolitana es un templo religioso. Tiene un pórtico central y dos torres.

__Las dos torres tienen la misma altura.__
__La catedral es muy grande. Está situada__
__en la plaza del Zócalo, en el centro__
__de la Ciudad de México.__

33

DIEGO Y FRIDA

La pintora Frida Kahlo estuvo casada con Diego Rivera. Él también era pintor. Los dos viajaban mucho y pasaban temporadas viviendo en ciudades distintas. Cuando estaban separados, se comunicaban por carta. Diego siempre se preocupaba mucho por el trabajo y por la salud de Frida. Esta carta es un ejemplo de la correspondencia que mantuvieron los dos artistas.

Diciembre 3 de 1939

Mi querida chiquita:

Estuve tantos días sin recibir noticias tuyas que ya me estaba preocupando. Me da gusto que te sientas un poco mejor. También me alegro de que tengas un departamento cómodo y un lugar en donde pintar. No te des prisa con los cuadros y los retratos. Es muy importante que salgan retesuaves, porque complementarán el éxito de tu exposición.

Me dio mucho gusto oír que te encargaron un retrato para el Museo Moderno. Va a ser magnífico que entres ahí a partir de tu primera exposición. Formará la culminación de tu éxito en Nueva York.

No seas ridícula, no quiero que por mí pierdas la oportunidad de ir a París. Toma de la vida todo lo que sea, siempre que te interese y te pueda dar cierto placer. Si de veras quieres hacerme feliz, debes saber que nada puede darme más gusto que la seguridad de que tú lo eres. Y tú, mi chiquita, lo mereces todo...

Tu sapo-rana,

Diego

Texto adaptado.

19 **¿Qué sabemos de Diego y Frida?**

▶ **Responde.**

1. ¿Quién escribe la carta? ¿Por qué está preocupado?

   Diego Rivera. Está preocupado porque lleva días sin recibir noticias de Frida.

2. ¿Cómo es el lugar en el que vive Frida?

   Es un departamento cómodo.

3. ¿Para quién debe pintar Frida un retrato? ¿Qué va a suponer eso en su carrera?

   Para el Museo Moderno. La culminación de su éxito en Nueva York.

4. ¿Qué es lo que hace a Diego feliz?

   La seguridad de que Frida es feliz.

20 **¿Qué pasó antes?**

▶ **La carta que acabas de leer es una respuesta a una carta que escribió Frida a Diego. Escribe lo que Frida le pudo contar a Diego en su carta anterior.**

Querido Diego:

Estoy muy contenta en mi nuevo departamento: es muy cómodo

y tengo muy buena luz para pintar. Además, me han encargado

un retrato para el Museo Moderno.

No sé si ir a París; prefiero estar contigo y quiero hacerte feliz.

Además, últimamente no me encuentro muy bien.

Con amor,

Frida

21 **¿Se quieren?**

▶ **Responde.**

1. ¿Cómo crees que es la relación que tienen Diego y Frida?

   Creo que es una buena relación y que se quieren mucho.

2. ¿Crees que Frida debería ir a París? ¿Por qué?

   Creo que Frida debería ir a París porque es importante para su carrera

   artística.

LA CARA ES EL ESPEJO DEL ALMA

El elefante y la paloma

Al matrimonio de Frida Kahlo y Diego Rivera se le ha llamado la unión del elefante y la paloma, pues Diego Rivera era **obeso** y **corpulento** y Frida Kahlo, en cambio, era muy **delgada** y **frágil**.

22 **Significan lo mismo**

▶ Relaciona las palabras de cada columna que signifiquen lo mismo.

A	B	C
1. inteligente	a. holgazán	A. fornido
2. perezoso	b. robusto	B. cortés
3. fuerte	c. cordial	C. vago
4. guapo	d. perspicaz	D. apuesto
5. amable	e. lindo	E. listo

▶ Completa las oraciones con palabras de las columnas B y C.

1. Mi hermano es un chico muy ___apuesto___: es alto, moreno y muy ___robusto___. Y es muy ___cordial___ con la gente.

2. La hija de Marina es una chica muy ___perspicaz___. Se da cuenta de todo lo que pasa a su alrededor, aunque solo tiene tres añitos.

3. Antes era muy ___vaga___, no me gustaba estudiar y tampoco ayudaba en casa. Ahora soy mucho más trabajadora.

4. Cuando te presenten a alguien, no olvides ser ___cortés___ y saluda con educación.

▶ Escribe oraciones con las palabras de las columnas B y C que no hayas utilizado.

1. ___Antonio es el chico más lindo de la clase.___

2. ___Mi hermano es muy listo, siempre saca buenas notas.___

3. ___Julio es un holgazán, no le gusta trabajar.___

4. ___Nuestro profesor de Educación Física es un hombre muy fornido.___

23 **Virtudes y defectos**

▶ Clasifica las siguientes palabras.

✔ honradez   ✔ lealtad   ✔ tacañería   ✔ venganza

✔ ira   ✔ optimismo   ✔ falsedad   ✔ egoísmo

✔ generosidad   ✔ paciencia   ✔ sinceridad   ✔ envidia

virtudes	honradez, **generosidad, lealtad, optimismo, paciencia, sinceridad**

defectos	**ira, tacañería, falsedad, venganza, egoísmo, envidia**

▶ Escribe cómo son las personas que tienen los siguientes defectos y virtudes.

- tacañería **tacaño**
- egoísmo **egoísta**
- sinceridad **sincero**

- honradez **honrado**
- paciencia **paciente**
- envidia **envidioso**

24 **Dimes y diretes**

▶ Elige un refrán adecuado para la situación.

¿Estás triste?

Sí, ¿cómo lo sabes?

☐ Ojos que no ven, corazón que no siente.
☐ Al mal tiempo buena cara.
☑ La cara es el espejo del alma.

▶ Explica qué significa el refrán que has elegido.

Significa que nuestra cara refleja nuestro estado de ánimo.

LA SÍLABA

Al hablar, agrupamos los sonidos en golpes de voz. Cada golpe de voz es una **sílaba**.
Por ejemplo, la palabra *paloma* tiene tres sílabas:

pa	lo	ma

Una sílaba puede tener una, dos o tres vocales.

Una: **pan**   Dos: **fiel**   Tres: **miau**

Dos vocales en una misma sílaba forman un **diptongo**. Para que dos vocales pertenezcan a la misma sílaba, una de ellas debe ser la **u** o la **i**.

25 **¡Todo está enredado!**

▶ Ordena las sílabas para formar nombres de animales.

1. | rro | pe |

   perro

2. | ca | llo | ba |

   caballo

3. | to | pa |

   pato

4. | ne | co | jo |

   conejo

5. | ri | po | ma | sa |

   mariposa

6. | dri | co | lo | co |

   cocodrilo

7. | po | ta | hi | pó | mo |

   hipopótamo

8. | o | gu | ran | tán |

   orangután

26 **¿Cómo se dividen?**

▶ Divide las siguientes palabras en sílabas.

abracadabrante	a - bra - ca - da - bran - te
otorrinolaringólogo	o - to - rri - no - la - rin - gó - lo - go
filosóficamente	fi - lo - só - fi - ca - men - te
enciclopédico	en - ci - clo - pé - di - co

27 **¿Dónde están las palabras?**

▶ Escribe el siguiente texto separando las palabras.

> FridaKahloestuvoenfermamuchotiempoytuvomuchosdolores.Lapinturalaayudóaexpresarsusufrimiento,comoellamismaexplicó:«Nuncapintosueñosopesadillas.Pintomipropiarealidad».Pintareraunejerciciofundamentalensuvida.

Frida Kahlo estuvo... enferma mucho tiempo y tuvo muchos dolores. La pintura la ayudó a expresar su sufrimiento, como ella misma explicó: «Nunca pinto sueños o pesadillas. Pinto mi propia realidad». Pintar era un ejercicio fundamental en su vida.

▶ Divide las siguientes palabras en sílabas.

enferma __en - fer - ma__

pesadillas __pe - sa - di - llas__

ejercicio __e - jer - ci - cio__

28 **¿Cómo son las palabras?**

▶ Escribe cuatro palabras del texto de la actividad 27 para cada grupo y añade dos más.

una sílaba	la, mi, su, un
dos sílabas	tiempo, nunca, propia, vida
tres sílabas	enferma, dolores, pintura, expresar
cuatro sílabas	pesadillas, ejercicio, fundamental, sufrimiento

▶ Escribe las cinco palabras del texto de la actividad 27 que tienen diptongo.

tiempo, sufrimiento, sueños, propia, ejercicio

29 **¿Cuántas palabras hay aquí?**

▶ Forma palabras con las sílabas de esta palabra.

o-don-to-es-to-ma-to-lo-gí-a

malo, dones, esto, loma, loto, dono, tómalo, odontología

UNA CARTA PERSONAL

En el texto *Diego y Frida* (página 34) Diego Rivera se dirige a Frida Kahlo para relatarle sus vivencias y expresarle sus sentimientos. Y lo hace por medio de una carta.

Una carta es un **texto escrito** que dirigimos a amigos, familiares o conocidos para relatar acontecimientos o vivencias personales, para expresar nuestros sentimientos, para felicitarlos, para disculparnos...

Las cartas tienen una estructura formal que incluye el **lugar** y la **fecha** en que se escribe, un **saludo**, una **serie de párrafos** con lo que deseamos contar, una **despedida** y una **firma**.

30 **Te quiero contar que...**

▶ **Escribe una carta a un amigo o a un familiar.**

A. **Decide a quién vas a escribir y qué vas a contar.**

A mi abuela.   *Voy a felicitarla por su cumpleaños.*
A mi mejor amiga.   *Voy a agradecerle su amistad.*

B. **Indica el lugar y la fecha en que estás escribiendo.**

La fecha se coloca en la parte superior derecha con este formato: *Lugar, día* **de** *mes* **de** *año.*

Ciudad de México, 17 de enero de 2011

C. **Elige un saludo.**

El saludo se coloca a la izquierda, unas líneas más abajo que la fecha.

Ciudad de México, 17 de enero de 2011

Querida abuela:

D. **Redacta unas líneas o unos párrafos con el texto de tu carta.**

Ciudad de México, 17 de enero de 2011

Querida abuela:
¡Muchas felicidades! Estoy muy contento de poder ir este fin de semana a celebrar el cumpleaños contigo. ¿Irás a buscarme a la estación?

E. **Escribe una despedida en un párrafo aparte y firma tu carta.**

Ciudad de México, 17 de enero de 2011

Querida abuela:
¡Muchas felicidades! Estoy muy contento de poder ir este fin de semana a celebrar el cumpleaños contigo. ¿Irás a buscarme a la estación?
Cuídate mucho,

Luis

Acapulco, 10 de enero de 2010 *fecha*

saludo Querido Jaime:

texto ¿Cómo estás? Yo estoy muy bien y con ganas de verte pronto.

Estuve pasando las vacaciones de Navidad con mis padres en Guadalajara.

Y ahora estoy pasando unos días con mi abuelita en Acapulco. Estoy

muy contenta: mi abuela y yo cocinamos juntas y salimos a pasear.

¡Todo huele a mar!

Tengo muchas ganas de volver a Miami y a la escuela: tenemos que hacer

muchas cosas juntos este año.

despedida Un beso muy fuerte,

Cristina *firma*

INVITACIONES PARA LA FIESTA DE LA QUINCEAÑERA

*Siempre soñé con este día.
Compartir una noche especial
e inolvidable. Amigos, familia,
alegría, diversión… una noche
mágica, una noche de emoción.
Pero para que esté completa necesito
que estés tú. Son mis quince años:
los primeros, los únicos.
Y contigo serán inolvidables.*

Cristina Belmonte Torres

Fecha: 23/09/2010   Salón: Salón de Fiestas Guadalupe
Hora: 6:00 p. m.   Vestimenta formal. Varones con corbata

Quince años...

Es pasar de la niñez a la adolescencia.
Es entrar en un mundo desconocido y nuevo.
Es celebrar lo vivido hasta aquí.
Es continuar sintiéndose querida
y acompañada.
Es comenzar una hermosa etapa nueva.
Los espero para compartir todo lo que
significa este momento.

Dolores Ramírez

Salón: La Claraboya   Fecha: 19 de mayo de 2010
Hora: 4:00 p. m.   Vestimenta formal

Necesito: que estés conmigo.
El motivo: mis quince años.
Tu obligación: no aburrirte.
Mi deseo: que te diviertas.
Lo importante: que no faltes.
¡Es mi noche más feliz!
Ven a compartirla conmigo.

Alma Olmos Avilés

15 de febrero de 2010

Salón: Los Tres Peces
Hora: 5:00 p. m.
Vestimenta formal

Fuente: http://www.magiceventosuy.tripod.com. Textos adaptados.

31 **¿Dónde lo dice?**

▶ **Escribe fragmentos del texto que confirmen los siguientes enunciados.**

1. La fiesta de la quinceañera es un acontecimiento especial.

   Siempre soñé con este día.

   Una noche especial e inolvidable.

2. La fiesta de la quinceañera simboliza un cambio de etapa.

   Es pasar de la niñez a la adolescencia.

   Es comenzar una hermosa etapa nueva.

3. La fiesta de la quinceañera es motivo de alegría y diversión.

   Mi deseo, que te diviertas.

   Amigos, familia, alegría, diversión.

32 **Estar juntos**

▶ **Escribe todas las palabras del texto relacionadas con la idea de *estar juntos*.**

   compartir, amigos, familia, contigo, acompañada, conmigo

33 **¿A quién va dirigido?**

▶ **Relaciona cada invitación con un destinatario.**

1. Cristina Belmonte Torres   a. A los amigos más cercanos.
2. Dolores Ramírez   b. A parientes adultos.
3. Alma Olmos Avilés   c. A parientes jóvenes.

▶ **Explica por qué has establecido esas relaciones.**

   De acuerdo con el lenguaje que utiliza, la de Alma es más formal.

34 **Y tú, ¿qué piensas?**

▶ **Responde. ¿Qué invitación te gusta más? ¿Por qué?**

   La de Dolores Ramírez porque expresa muy bien lo que significa
   la quinceañera.

DESAFÍO 3 Vocabulario

DE TAL PALO TAL ASTILLA

La quinceañera y sus **padres** eligen la invitación que van a entregar a sus **familiares**. A la fiesta asistirán sus **hermanos**, sus **abuelos**, sus **tíos**, todos sus **primos**... y, en general, todos sus **parientes**.

35 La familia política de la quinceañera

▶ Observa el dibujo y responde con ayuda de las siguientes palabras.

cuñada   yerno   suegro   nuera

- ¿Qué es Luis respecto de Mar y Jonás?
  Es el yerno.

- ¿Qué es Sara respecto de Cris?
  Es la cuñada.

- ¿Qué son Juan y Sole respecto de Cris?
  Son los suegros.

- ¿Y qué es Cris respecto de Juan y Sole?
  Es la nuera.

36 Padres, hijos y hermanos

▶ Relaciona cada palabra de la columna A con un adjetivo de la columna B.

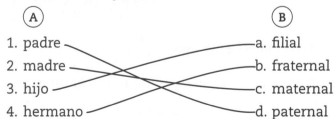

A
1. padre
2. madre
3. hijo
4. hermano

B
a. filial
b. fraternal
c. maternal
d. paternal

37 **Una palabra familiar**

▶ **¿Qué significa *familiar* en cada caso? Lee las definiciones y escribe la letra de la definición que corresponde a cada oración.**

> **familiar.**
>
> a. Perteneciente o relativo a la familia.
>
> b. Dicho del trato: llano, como en familia.
>
> c. Se dice de aquello que se conoce bien.
>
> d. Dicho de un coche: de muchos asientos.

1. Cuando tuvieron su cuarto hijo, los Ramírez se compraron un coche familiar.

2. Ese cuadro me resulta familiar. ¿Hay pinturas de este autor en otro sitio?

3. Me encantan las veladas familiares: nos reunimos todos y cantamos canciones.

4. Mi relación con los profesores es muy familiar: hablo de todo sin pelos en la lengua.

1. __d__   2. __c__   3. __a__   4. __b__

▶ **Escribe oraciones utilizando en cada caso la palabra *familiar* con un significado distinto.**

1. Ayer vino a comer un familiar de mi padre.

2. El inglés me es tan familiar como mi propio idioma.

3. Mis abuelos tienen un coche familiar y es muy cómodo.

4. Con los padres de mis amigos tengo un trato muy familiar.

38 **¿Cómo es tu familia?**

▶ **Escribe un párrafo explicando las relaciones de parentesco de tu familia o de una familia famosa.**

Mi familia es muy numerosa: tengo cuatro hermanos y seis primos.

Mis dos hermanos mayores están casados, así que también tengo dos

cuñadas. ¡Incluso tengo una sobrina! Todavía es un bebé,

pero es muy graciosa.

EL SONIDO K

El sonido **K** se escribe así:

- Con **c** cuando va delante de las vocales **a**, **o**, **u**: **ca**, **co**, **cu**.

- Con **qu** cuando va delante de las vocales **e**, **i**: **que**, **qui**.

En algunas palabras que proceden de otras lenguas se escribe con **k**.

SONIDO **K**	SONIDO **K**	SONIDO **K**
LETRA **c**	LETRA **qu**	LETRA **k**

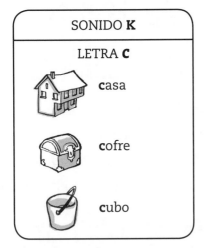

casa

cofre

cubo

química

queso

koala

anora**k**

---

39 ¿Con **c** o con **qu**?

▶ Completa con **c** o con **qu**.

1. peri**qui**to
2. bar**qui**ta
3. ro_**c**_a
4. du**que**
5. sa_**c**_apuntas
6. abre_**c**_artas
7. re**que**són
8. _**c**_uchillo
9. bar_**c**_o
10. a_**c**_ademia

---

40 ¡Más pequeño!

▶ Escribe el diminutivo de cada palabra.
Presta atención a la ortografía.

- barco _barquito_
- mosca _**mosquito**_
- boca _**boquita**_

- cerca _**cerquita**_
- blanco _**blanquito**_
- charco _**charquito**_

▶ Escribe dos oraciones con alguna de las palabras que has formado.

El chico hizo un barquito de papel.

Había mosquitos sobrevolando el charquito.

41 **Palabras con _k_**

▶ Relaciona cada palabra de la columna A con una definición de la columna B.

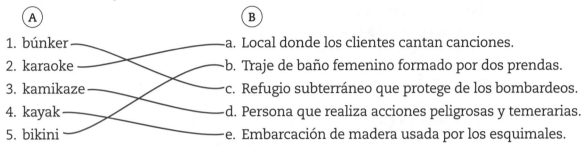

Ⓐ
1. búnker
2. karaoke
3. kamikaze
4. kayak
5. bikini

Ⓑ
a. Local donde los clientes cantan canciones.
b. Traje de baño femenino formado por dos prendas.
c. Refugio subterráneo que protege de los bombardeos.
d. Persona que realiza acciones peligrosas y temerarias.
e. Embarcación de madera usada por los esquimales.

▶ Completa las oraciones con las palabras anteriores.

1. Ayer fui al __karaoke__. Canté una canción de Julieta Venegas.

2. A mí me gusta navegar en __kayak__ los fines de semana.

3. Mis hermanas siempre usan __bikini__ cuando van a la playa.

4. Antes de ayer un conductor __kamikaze__ provocó un grave accidente.

5. Cuando hay guerra, se construyen muchos __búnkeres__.

42 **¡Embarcamos!**

▶ Escribe la palabra que corresponde a cada definición.

1. Barca grande que se usa para transportar carga.   B __A__ R __C__ A Z __A__

2. Subir a una embarcación o a un avión.   E __M__ B __A__ R __C__ A R

3. Persona que conduce una barca.   B __A__ R __QU__ E R O

43 **Una fábula**

▶ Completa con _c_, con _qu_ o con _k_.

> **Todos queremos lo que no tenemos**
>
> __Qui__que el __k__oala estaba harto de tener su __c__asa en un árbol. __C__omo __qu__ería
>
> bajar a __c__onocer la tierra, llamó a su amigo, el __c__anguro Ni__c__olás.
>
> –¿ __Q__ué __qu__ieres, __Qui__que? –preguntó Ni__c__o.
>
> – __Q__uiero __qu__e me des __c__obijo en tu __c__asa – __c__ontestó __Qui__que.
>
> –Eso no puede ser, __c__amarada –dijo el __c__anguro–. Mi mujer, __C__armina, no
>
> __c__onsiente __qu__e yo meta a mis amigos en __c__asa.
>
> –¡ __Q__ué __c__osas!
>
> – __Q__uién pudiera vivir en un árbol, __c__omo tú.

UNA INVITACIÓN

Con las invitaciones de la página 42, Cristina, Alma y Dolores invitan a sus amigos y familiares a la celebración de su fiesta de quince años. En todas las invitaciones se alude a los siguientes aspectos:

- Motivo de la celebración.

> *El motivo: mis quince años.*

- Fecha, hora y lugar del acontecimiento.

> *Fecha: 23/09/2010 - Hora: 6:00 p. m.*
> *Salón: Salón de Fiestas Guadalupe*

- Tipo de atuendo requerido.

> *Vestimenta formal.*

> Una **invitación** es un **escrito** en el que se propone a alguien que participe en una celebración o que asista a un evento.

44 **¡Vamos a invitar a alguien!**

▶ **Escribe una invitación.**

A. **Decide la celebración o acontecimiento que va a tener lugar.**

> *Un acontecimiento deportivo en el que participo.*   *Mi cumpleaños.*
> *Una fiesta por el nacimiento de mi hermano.*   *Mi fiesta de despedida de la ciudad.*

<u>Mi cumpleaños.</u>

B. **Decide a quién le vas a enviar la invitación.**

- Si es a un amigo o familiar, puedes usar un lenguaje informal y tratarle de *tú*.
- Si es a un profesor o a alguien con quien no tienes trato habitual, trátale de *usted*.

> *A mi mejor amigo.*   *A mis abuelos.*

<u>A mi amiga de la infancia.</u>

C. **Escribe una introducción describiendo el acontecimiento o la celebración.**

- Debes especificar qué es lo que se celebra.
- Puedes incluir la fecha o un título.

> *El próximo martes es mi cumpleaños, un día especial, pues cumpliré 14 años.*

> *Campeonato de ajedrez*
> *El jueves veintitrés de este mes voy a participar en la final del torneo escolar de ajedrez.*

<u>El sábado que viene cumplo catorce años.</u>

D. Dirígete al destinatario para invitarle.

Puedes utilizar verbos como *invitar, compartir, convidar,* expresiones como
me gustaría que…, te espero…, quiero… o el imperativo de verbos como *venir, compartir…*

¡Te invito a venir al torneo!   *Me gustaría que vinieras a darme ánimos.*

Me encantaría compartir el día contigo.

Te invito a celebrar mi cumpleaños.

E. Da los datos necesarios sobre el evento: fecha, hora, lugar, vestimenta.

Puedes escribir un párrafo con la información o incluirla esquemáticamente al final.

Debes venir con ropa deportiva. El campeonato comienza el domingo día 14 a las tres de la tarde en el polideportivo de la escuela.

Fecha y hora: 21/03/2010 a las 6:00 p. m.
Lugar: Cafetería La Burbuja

La fiesta se celebrará en mi casa, en el número 141 de Riverside
Avenue, el sábado 20 de mayo, a partir de las tres de la tarde.

F. Despídete y firma tu invitación.

Gracias por venir.   *¡No faltes!*
¡Te espero!   *Nos vemos entonces.*

Espero verte allí.

▶ **Pasa a limpio tu invitación y decórala a tu gusto.**

Querida Jimena:

El sábado que viene cumplo catorce años. Me encantaría

compartir el día contigo. Te invito a celebrar mi cumpleaños

con una fiesta y mucha diversión.

La fiesta se celebrará en mi casa, en el número 141

de Riverside Avenue, el sábado 20 de mayo, a partir de las tres

de la tarde.

Espero verte allí.

LOS VOLADORES DE PAPANTLA

Marzo de 2010. Número 8

NUESTRAS TRADICIONES

Una tradición muy antigua

En Papantla, un municipio del estado de Veracruz, siguen vivas espectaculares tradiciones milenarias. Una de ellas es la danza de los voladores, un ritual de los indígenas totonacas, originarios de la zona.

La danza de los voladores es ejecutada por un sacerdote y cuatro voladores en un poste, a más de 25 metros de altura. En la parte superior del poste hay una plataforma con un tambor. Aquí se sitúa el sacerdote, también llamado caporal. Alrededor de la plataforma hay un marco giratorio al que se atan los cuatro voladores.

El caporal, que dirige la danza y ejecuta la música, simboliza el centro. Los cuatro voladores simbolizan los cuatro puntos cardinales. A una señal del caporal, los voladores, atados con cuerdas, se lanzan al vacío de cabeza. Comienza, entonces, un descenso en círculos que dura trece vueltas.

El ritual no se limita al descenso. La obtención e instalación del poste es también un acto solemne en el que colabora toda la comunidad. Además, antes de ascender al poste, los cinco participantes ejecutan danzas preparatorias y simbólicas.

Los voladores en pleno descenso.

La danza de los voladores no es un mero espectáculo de acrobacias, sino una tradición milenaria llena de significado para quienes participan en ella.

45 **¿Qué hay de cierto?**

▶ Indica si las siguientes afirmaciones son ciertas (C) o falsas (F).

1. La danza de los voladores es parte de un ritual simbólico. Ⓒ F
2. El sacerdote se lanza al vacío al tiempo que toca el tambor. C Ⓕ
3. En algunas partes del ritual participa toda la comunidad. Ⓒ F
4. El poste al que se suben los ejecutantes se llama caporal. C Ⓕ

46 **Orden, por favor**

▶ Ordena las viñetas de acuerdo con el ritual.

▶ Escribe qué ocurre en cada viñeta.

1. <u>Se obtiene e instala el poste.</u>
2. <u>Los cinco participantes ejecutan danzas simbólicas.</u>
3. <u>Los cuatro voladores y el sacerdote suben al poste.</u>
4. <u>El sacerdote ejecuta la música.</u>
5. <u>Los voladores se lanzan al vacío.</u>

47 **Yo quiero ser volador**

▶ Responde.

1. ¿Cómo crees que se sienten los participantes en este ritual?

   <u>Nerviosos, asustados, emocionados, contentos.</u>

2. ¿Te gustaría ser uno de los voladores? ¿Por qué?

   <u>Sí, porque son muy atrevidos.</u>

3. ¿Conoces alguna tradición antigua? ¿En qué consiste?

   <u>La celebración del día de Muertos. Se hacen ofrendas de flores a los difuntos.</u>

ESTADOS DE ÁNIMO

> Mucha gente está esperando para ver a los voladores de Papantla. Algunos niños están muy **emocionados**. Hay gente que está **agotada** porque ha venido desde muy lejos para ver el espectáculo. ¡No hay ni una sola persona **aburrida**!

48 **¿Cómo estamos?**

▶ Clasifica las palabras de acuerdo con los sentimientos a los que aluden.

✔ agotado ✔ furioso ✔ enfadado ✔ cansado ✔ alterado
✔ harto ✔ emocionado ✔ fatigado ✔ nervioso ✔ inquieto

NERVIOSISMO	ENFADO	CANSANCIO
emocionado	harto	agotado
nervioso	furioso	fatigado
alterado	enfadado	cansado
inquieto		

49 **Lo contrario**

▶ Sustituye cada palabra destacada por una que signifique lo contrario.

tranquilo

- El médico opina que este chico está **sano**.
  El médico opina que este chico está indispuesto.

indispuesto

- Los fans del equipo están totalmente **eufóricos**.
  Los fans del equipo están totalmente abatidos.

abatido

- Tras el accidente, estaba muy **exaltado**.
  Tras el accidente, estaba muy tranquilo.

50 **De *enfermos* y *enfermedades***

▶ **Completa con las siguientes palabras de la misma familia.**

| enfermo | • *enfermera* | • *enfermizo* | • *enfermar* | • *enfermedad* |

1. Pedro es un niño muy _____enfermizo_____. O tiene catarro o tiene tos. Nunca está

del todo sano. Ha tenido todas las _____enfermedades_____ infantiles.

2. Mi abuelo está _____enfermo_____ y necesita una _____enfermera_____

que le atienda.

3. Hay psicólogos que piensan que es posible _____enfermar_____ de tristeza.

51 **Dicho de otra manera...**

ANSWERS WILL VARY

▶ **Explica qué significan las expresiones destacadas.**

1. Mi hermano Pedro siempre **está hecho polvo** después de jugar al baloncesto.

_____Muy cansado, agotado._____

2. María **se puso hecha un basilisco** y rompió las cartas que le había escrito Juan.

_____Muy molesto, enojado._____

52 **¡Qué desastre!**

ANSWERS WILL VARY

▶ **Lee el telegrama y reescríbelo acortándolo todo lo posible.**

> Vuelve pronto. Estamos en el hospital. Tu hermano no se encuentra bien.
> Tu padre suda y se frota las manos. Yo no puedo más, no paro de bostezar.
> A Sara la espera se le hace interminable. Me parece fatal que no estés aquí.
> Regresa ya. Tu madre.

_____Vuelve pronto. Tu hermano está indispuesto. **Tu padre está nervioso. Yo estoy cansada.**_____

_____Sara está impaciente. Debes venir aquí. Regresa ya._____

_____Tu madre_____

53 **Y tú, ¿cómo te sientes?**

ANSWERS WILL VARY

▶ **Escribe cómo te sientes a lo largo del día y por qué.**

_____Por las mañanas estoy contento y lleno de energía porque he descansado_____

_____bien. Al final del día estoy cansado._____

SÍLABAS TÓNICAS Y SÍLABAS ÁTONAS

No todas las sílabas se pronuncian con igual fuerza.

- La sílaba que se pronuncia con más intensidad se llama **sílaba tónica** o **sílaba acentuada**. Por ejemplo, en la palabra *voladores*, la sílaba tónica es -*do*-.

- Las sílabas que se pronuncian con menos intensidad se llaman **sílabas átonas** o **sílabas inacentuadas**. Por ejemplo, en la palabra *espectáculo*, las sílabas átonas son **es**-, -**pec**-, -**cu**-, -**lo**.

- Según el lugar de la sílaba tónica, las palabras pueden ser agudas, llanas o esdrújulas:

  – **Agudas.** La sílaba tónica es la **última**, como en *tradición*.

  – **Llanas.** La sílaba tónica es la **penúltima**, como en *voladores*.

  – **Esdrújulas.** La sílaba tónica es la **antepenúltima**, como en *mágico*.

54 ¡Qué golpes de voz!

▶ Rodea en cada palabra la sílaba que se pronuncia con más intensidad.

dan-za	vo-la-do-res	ca-po-ral	tra-di-ción	in-dì-ge-na
mú-si-ca	a-de-más	des-cen-so	tam-bor	co-mu-ni-dad

55 ¿Dónde está la intensidad?

▶ Clasifica las palabras de la actividad 54 según su sílaba tónica.

ES LA ÚLTIMA	ES LA PENÚLTIMA	ES LA ANTEPENÚLTIMA
además, caporal	danza	música
tradición	voladores	indígena
tambor	descenso	
comunidad		

▶ Responde.

- Según su sílaba tónica, ¿qué tipo de palabras son *tambor* y *caporal*?

  Agudas.

- Según su sílaba tónica, ¿qué tipo de palabras son *voladores* y *descenso*?

  Llanas.

- Según su sílaba tónica, ¿qué tipo de palabras son *música* e *indígena*?

  Esdrújulas.

56 **¿Cuántas palabras conoces?**

▶ Escribe cuatro palabras agudas, cuatro llanas y cuatro esdrújulas.

ANSWERS WILL VARY

agudas	flor, canción, pared, café
llanas	libro, caramelo, lápiz, pintura
esdrújulas	sábana, máscara, número, cálido

57 **Animales hasta en la sopa**

▶ Busca nombres de animales que sean palabras agudas o esdrújulas.

✓ El rey de la selva.
✓ Un mamífero africano.
✓ Un animal marino de grandes dientes.
✓ Un animal del Lejano Oeste.
✓ Una serpiente venenosa.

✓ Un animal parecido al hombre.
✓ El único mamífero volador.
✓ Un ave emblema de muchos países.
✓ Un animal con la casa a cuestas.
✓ Un ave que esconde la cabeza en tierra.

C	H	I	M	P	A	N	C	É	A	M	Y	Ñ	V
R	Y	Q	Q	A	M	P	J	Á	G	U	I	L	A
P	A	V	Z	R	E	C	É	G	V	R	N	E	F
G	I	O	O	T	I	A	J	Q	L	C	G	M	G
D	A	V	E	S	T	R	U	Z	C	I	L	H	B
Q	S	Ñ	K	L	C	A	N	D	J	É	L	Y	N
A	D	D	R	T	B	C	Y	A	V	L	D	X	W
R	D	Y	H	I	P	O	P	Ó	T	A	M	O	P
V	B	G	Q	B	Y	L	H	P	U	G	M	P	V
A	Ú	E	U	U	T	Ñ	V	Í	B	O	R	A	Y
O	F	A	B	R	B	M	J	M	B	P	O	C	W
M	A	D	W	Ó	L	C	Ñ	H	J	J	P	M	N
S	L	E	Ó	N	A	X	I	Q	W	H	B	V	T
M	O	N	D	A	X	K	Ñ	O	Ñ	X	A	N	D

▶ Clasifica las palabras que has encontrado.

agudas	avestruz, león, chimpancé, tiburón, caracol
esdrújulas	hipopótamo, víbora, águila, búfalo, murciélago

ORDENAR LOS HECHOS

Antes de ascender al poste, los voladores danzan en la tierra. *Luego*, a una señal del caporal, se lanzan al vacío. Comienza, *entonces*, el descenso.

Hay palabras y expresiones que **ordenan los hechos** en el tiempo.

58 ¿Qué ocurrió primero?

▶ Subraya las palabras que sirven para ordenar los hechos en este texto.

Vacaciones

Esta mañana me he levantado con una sensación algo extraña.
Antes de desayunar, me he dado una ducha para ver si me despejaba.
Después del desayuno he salido a la calle. Al momento he comprendido:
¡estaba de vacaciones en Cancún, no estaba en la Ciudad de México!
En ese momento, he dado la vuelta y he regresado a casa. Después de tomar
la bolsa de la playa, he bajado a la orilla del mar, desde donde escribo
estas líneas. ¡Qué felicidad!

▶ Ordena cronológicamente los siguientes hechos de acuerdo con el texto.

✓ Regresar a casa. ✓ Levantarse. ✓ Tomar la bolsa de la playa.
✓ Desayunar. ✓ Salir a la calle. ✓ Ducharse.

1. Levantarse.   4. Salir a la calle.

2. Ducharse.   5. Regresar a casa.

3. Desayunar.   6. Tomar la bolsa de la playa.

59 **¿Antes o después?**

▶ Relaciona las expresiones de cada columna que tienen el mismo significado.

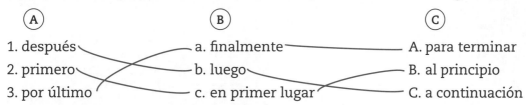

A	B	C
1. después	a. finalmente	A. para terminar
2. primero	b. luego	B. al principio
3. por último	c. en primer lugar	C. a continuación

60 **El artista más famoso de Papantla**

ANSWERS WILL VARY

▶ Ordena los hechos y escribe un texto con ellos.

6 El gobernador recibió a Teodoro Cano a la una de la mañana.

7 Actualmente, Teodoro Cano vive y trabaja en Papantla.

3 Dos días después de llegar a la Ciudad de México, fue recibido por Diego Rivera.

1 Teodoro Cano, el artista más famoso de Papantla, nació en 1932.

5 Teodoro Cano tenía cita con el gobernador un día de 1947 a las once de la noche.

2 Llegó a la Ciudad de México en 1946.

4 Una tarde, Diego Rivera le dio una carta de recomendación para el gobernador.

Teodoro Cano, el artista más famoso de Papantla, nació en 1932. Llegó a la Ciudad de México en 1946 y dos días después de llegar fue recibido por Diego Rivera. Una tarde, Diego Rivera le dio una carta de recomendación para el gobernador. Teodoro Cano tenía cita con el gobernador un día de 1947 a las once de la noche, pero el gobernador lo recibió a la una de la mañana. Actualmente Teodoro Cano vive y trabaja en Papantla.

61 **Un día normal**

ANSWERS WILL VARY

▶ Describe un día normal de tu vida. Ordena los hechos con las siguientes expresiones.

Por la mañana   Por la tarde   Por la noche   Antes de…   Después de…

Por la mañana me levanto temprano y antes de desayunar me doy una ducha. Estoy todo el día en la escuela y por la tarde regreso a casa. Después de cenar estudio un poco. Por la noche veo la televisión y luego me acuesto a dormir.

MÉXICO: UN PAÍS DE CONTRASTES

En México hay tres grandes regiones. En el norte hay desiertos como Sonora y ciudades industriales como Monterrey. En el montañoso centro están el legendario volcán Popocatépetl y la capital del país, la Ciudad de México. El sur tiene espectaculares playas, como Rincón Sabroso, y sitios arqueológicos muy interesantes, como Chichén Itzá.

62 Paisajes

▶ Relaciona cada lugar con su ubicación.

Nombre del lugar	Tipo de lugar	Región
1. Rincón Sabroso	a. desierto	A. norte
2. Chichén Itzá	b. ciudad	B. sur
3. Popocatépetl	c. playa	C. centro
4. Monterrey	d. volcán	D. norte
5. Sonora	e. ruinas mayas	E. sur

63 Los corridos del norte

▶ Escribe un argumento para un corrido sobre la frontera mexicana.

La historia de un chico de México que se enamora de una chica de Texas.

Para comunicarse, se dejan mensajes en la frontera.

EL CALENDARIO AZTECA

¿Sabías que los aztecas medían el tiempo con dos calendarios distintos?

Para organizar los períodos de la vida civil, utilizaban un calendario de 365 días llamado *xihuitl*. En ese calendario el año se dividía en 18 meses de cuatro semanas. Cada semana tenía cinco días. Al final del año había cinco días de ayuno y abstinencia. Los meses tenían nombres como *la caída de los frutos* o *el izado de la bandera*, que hacían referencia a fenómenos naturales o a actividades y rituales de la sociedad.

Para establecer horóscopos y predicciones, los aztecas utilizaban un calendario místico de 260 días llamado *tonalpohualli*.

En ambos calendarios, había signos asociados a los días. Cada signo tenía un nombre. Algunos son *cocodrilo (cipactli)*, *casa (calli)*, *lluvia (quiahuitl)* o *muerte (miquiztli)*. Estos signos aparecen en la Piedra del Sol azteca, un altar que está en el Museo Nacional de Antropología, en la Ciudad de México.

64 **Los calendarios aztecas**

▶ **Completa la tabla con información sobre los calendarios aztecas.**

	CALENDARIO CIVIL	CALENDARIO MÍSTICO
NOMBRE AZTECA	xihuitl	tonalpohualli
NÚMERO DE DÍAS	365	260
UTILIDAD	Organizar los períodos de la vida civil.	Establecer horóscopos y predicciones.

▶ **Escribe características comunes a los dos calendarios.**

Ambos calendarios eran utilizados para medir el tiempo. En ambos calendarios había signos asociados a los días y cada signo tenía un nombre.

65 **Algunos días aztecas**

▶ **Observa los símbolos de los siguientes días aztecas y escribe el nombre de cada uno junto al significado que le corresponde.**

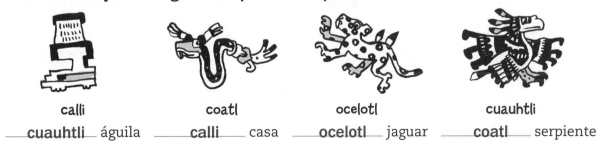

calli	coatl	ocelotl	cuauhtli
cuauhtli águila	**calli** casa	**ocelotl** jaguar	**coatl** serpiente

LA HISTORIA DE MÉXICO

La historia de México es extensa. Desde muy antiguo, diversas civilizaciones habitan su territorio.
Una de ellas, la azteca, funda Tenochtitlán, la capital de su imperio, en 1325.

En 1521, los españoles conquistan Tenochtitlán. Comienza así la época colonial, que dura hasta 1821.

En 1821, México consigue la independencia de España. Pocos años más tarde, en 1848, México pierde territorios en una guerra con los Estados Unidos.

Entre 1910 y 1920 tiene lugar la Revolución mexicana; con ella nace el México moderno.

66 **México y su historia**

▶ Completa con el nombre del personaje que corresponde.

Moctezuma II
(1466-1520)

Hernán Cortés
(1485-1547)

Padre Hidalgo
(1753-1811)

1. __Moctezuma II_____ fue el último emperador azteca.

2. __Padre Hidalgo_____ destacó en la independencia de México.

3. __Hernán Cortés_____ conquistó el imperio azteca.

▶ Completa la línea del tiempo con los principales hechos de la historia de México.

| Fundación de Tenochtitlán. | Mexico consigue la independencia de España. | Revolución mexicana. |

1325   1821   1910–1920

1521   1848

Comienza la época colonial.

México pierde territorios con EE. UU.

LA FUNDACIÓN DE MÉXICO-TENOCHTITLÁN

Cuenta la leyenda que los aztecas tuvieron que abandonar Aztlán, su lugar de origen, por mandato de Huitzilopochtli, el dios azteca del Sol y de la Guerra. Así que peregrinaron hacia el sur durante más de 100 años. Huitzilopochtli había indicado así el lugar donde el pueblo azteca debía asentarse:

«Vete y busca un nopal salvaje donde haya un águila erguida. ¡Allí estará nuestra ciudad de Tenochtitlán! ¡El sitio donde el águila grazna, el sitio donde la serpiente es desgarrada! ¡Ese será México-Tenochtitlán!».

Tras muchos conflictos con otros pueblos del valle de México, los aztecas encontraron en los islotes del lago Texcoco la señal de Huitzilopochtli. Allí fundaron la ciudad de Tenochtitlán en 1325.

Actualmente, el águila sobre un nopal con una serpiente en el pico es el emblema del escudo nacional de México.

67 **¿Qué sucedió?**

▶ **Indica si las siguientes afirmaciones son ciertas (C) o falsas (F).**

1. Los aztecas eran originarios de Aztlán.   Ⓒ F
2. Huitzilopochtli era un guerrero azteca muy poderoso.   C Ⓕ
3. Huitzilopochtli señaló el lugar donde los aztecas debían fundar Tenochtitlán.   Ⓒ F
4. Tenochtitlán se fundó en el lugar donde una serpiente devoró a un águila.   C Ⓕ

68 **Sucedió en este orden**

▶ **Ordena los hechos de acuerdo con el texto.**

⑤ Los aztecas fundaron Tenochtitlán.

④ Un águila sobre un nopal mordió a una serpiente en el lago Texcoco.

② Los aztecas abandonaron Aztlán.

① Huitzilopochtli indicó a los aztecas dónde debían fundar Tenochtitlán.

③ Los aztecas tuvieron problemas con otros habitantes del valle de México.

69 **¿Es importante?**

▶ **Responde. ¿Por qué es esta leyenda importante para los mexicanos?**

Porque forma parte de su patrimonio cultural. Refleja la forma de pensar de sus antepasados.

MÉXICO Y LOS ESTADOS UNIDOS

La mejor muestra de la estrecha relación entre México y los Estados Unidos es la comunidad méxico-americana, formada por ciudadanos estadounidenses de origen mexicano.

También llamados a veces **chicanos**, los méxico-americanos aportan a los Estados Unidos sus actividades y sus formas de expresión.

---

70 **¿Son chicanos?**

▶ **Elige. ¿A quiénes se llama *chicanos*?**

1. A todos los hispanos que viven en los Estados Unidos.
2. A los mexicanos que viven en los Estados Unidos.
3. A los mexicanos que hablan inglés.
4. A los ciudadanos de los Estados Unidos que tienen raíces mexicanas.

▶ **Explica por qué has elegido esa respuesta.**

Porque no todos los hispanos ni todos los mexicanos son chicanos.

---

71 **Inglés y español**

▶ **Elige en cada caso la oración que mejor representa el habla de tu comunidad.**

☑ Voy a la marqueta a comprar panqueques.
☐ Voy al mercado a comprar pasteles.

☑ Tuve problemas para parquear mi carro.
☐ Tuve problemas para estacionar mi auto.

☐ Podemos ir de compras después de comer.
☑ Podemos ir de shopping después de lonchear.

▶ **Responde.**

• ¿Con qué palabras del inglés relacionas las palabras *marqueta*, *parquear* y *lonchear*?

market, park, lunch

• ¿Utilizas alguna de estas palabras? ¿Y alguien que conozcas?

Sí, algunos de mis amigos también.

72 **Hispanos en el censo**

El censo

Un censo es una lista de todos los habitantes de un país. Para hacer un censo, cada habitante debe rellenar un formulario dando información personal, sobre su vivienda y sobre su trabajo. Gracias a estos datos, el gobierno conoce mejor a sus habitantes. Esto le permite adoptar medidas para mejorar la calidad de vida de la población. Por ejemplo, saber el número de niños y adolescentes del país es útil para hacer leyes de educación o para mejorar los servicios en las escuelas.

▶ **Responde. ¿Qué es un censo? ¿Para qué sirve?**

  Un censo es una lista de todos los habitantes de un país. Sirve para que el gobierno conozca mejor a sus habitantes.

▶ **Escribe dos preguntas que crees que deben aparecer en el formulario de un censo.**

  1. ¿Cuál es su país de origen?

  2. ¿Cuál es su nivel escolar?

▶ **Completa el formulario del censo 2010 como si fueras la persona número 1.**

5. **¿Cuál es el nombre de la Persona 1?** *Escriba el nombre a continuación.*

Apellido B E R L A N G A

Nombre S A N D R A Inicial S

8. **¿Es la Persona 1 de origen hispano, latino o español?**
  ☐ **No**, no es de origen hispano, latino o español
  ☒ Sí, mexicano, mexicano americano, chicano
  ☐ Sí, puertorriqueño
  ☐ Sí, cubano
  ☐ Sí, otro origen hispano, latino o español – *Escriba el origen, por ejemplo, argentino, colombiano, dominicano, nicaragüense, salvadoreño, español, etc.*

U.S. Census Bureau.

▶ **Responde.**

• ¿Por qué crees que se incluye la pregunta 8?

  Porque al gobierno le interesa saber el origen de la población hispana.

• ¿Cómo puede ayudar el censo a la integración de los hispanos en los Estados Unidos?

  El gobierno puede adoptar medidas que favorezcan la integración de los hispanos.

DESAFÍO 1

73 **El ciclo de la vida**

▶ Relaciona.

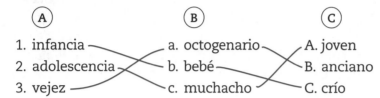

    (A)   (B)   (C)

1. infancia   a. octogenario   A. joven
2. adolescencia   b. bebé   B. anciano
3. vejez   c. muchacho   C. crío

74 **Las letras y los sonidos**

▶ Escribe seis palabras que contengan el sonido inicial de *jirafa*, tres con la letra *g* y tres con la letra *j*.

  gitano, girasol, genio, jefe, jinete, juego

▶ Escribe seis palabras que contengan el sonido inicial de *cine*, tres con la letra *c* y tres con la letra *z*.

  cena, ciencia, circo, zapato, zueco, zona

▶ Responde. ¿Qué letra del alfabeto español no representa ningún sonido? Pon ejemplos.

  La letra *h*. Zanahoria, helado, ahora, harina

DESAFÍO 2

75 **La cara es el espejo del alma**

▶ Relaciona cada palabra con su definición.

    (A)   (B)

1. lindo   a. que comprende con facilidad y se da cuenta de las cosas.
2. perspicaz   b. que no quiere trabajar y evita emprender actividades.
3. holgazán   c. que resulta bello y hermoso.

76 **La sílaba**

▶ Divide las siguientes palabras en sílabas.

• mexicano   me - xi - ca - no

• entorpecer   en - tor - pe - cer

DESAFÍO 3

77 **De tal palo tal astilla**

▶ Responde a estas preguntas sobre la familia de la quinceañera.

- ¿Qué relación de parentesco tiene la quinceañera con el marido de su hermana?

  Son cuñados.

- ¿Qué relación tiene la hermana de la quinceañera con los padres de su marido?

  Son sus suegros.

78 **El sonido K**

▶ Completa con *c*, con *qu* o con *k*.

Paquito _c_ompró unas po_c_as _c_opitas en el mer_c_ado y se fue a _c_asa.

DESAFÍO 4

79 **Estados de ánimo**

▶ Escribe palabras que signifiquen lo mismo.

1. cansado ___agotado___   2. enfermo ___indispuesto___   3. enfadado ___molesto___

80 **Sílabas tónicas y sílabas átonas**

▶ Escribe una palabra de cada tipo.

- aguda ___corazón___   • llana ___árbol___   • esdrújula ___teléfono___

81 **México: un país de contrastes**

▶ Escribe en qué regiones se divide México.

La zona desértica del norte, los valles centrales y la zona tropical del sur.

82 **La historia de México**

▶ Escribe tres hechos importantes en la historia de México.

Fundación de Tenochtitlán. Guerra de la Independencia. Revolución mexicana.

83 **México y los Estados Unidos: los chicanos**

▶ Escribe una definición de *chicano*.

Ciudadanos de los Estados Unidos que tienen raíces mexicanas.

1 El mar Caribe

▶ Busca el nombre de seis estados hispanos bañados por el mar Caribe.

A	O	P	U	E	R	T	O	R	I	C	O	O	A	C
A	D	O	M	I	N	I	C	A	N	A	S	S	G	A
C	Q	Q	A	A	B	Y	U	H	X	H	L	B	M	B
I	U	H	D	C	H	F	B	M	É	X	I	C	O	Q
L	V	Q	H	O	K	U	A	I	B	M	O	L	O	C
B	I	E	G	Q	M	Y	L	A	B	U	C	G	E	G
U	O	R	Y	R	O	K	K	N	B	F	E	V	R	J
P	G	Q	F	A	X	L	N	Q	G	V	S	N	H	U
E	L	Y	Y	I	B	V	E	N	E	Z	U	E	L	A
R	V	A	S	D	R	T	E	R	D	G	I	X	I	C
D	W	E	O	C	I	J	U	I	N	M	A	K	Ñ	O

2 Parte de Puerto Rico

▶ Completa las oraciones con los siguientes términos.

Vieques   *San Juan de Puerto Rico*   *El Yunque*   *El Viejo San Juan*

1. <u>San Juan de Puerto Rico</u> es la capital de Puerto Rico.

2. <u>El Yunque</u> es un bosque tropical.

3. <u>El Viejo San Juan</u> es el centro histórico de la capital de Puerto Rico.

4. <u>Vieques</u> es una isla que forma parte de Puerto Rico.

3 ¿Dónde están?

▶ Identifica y ubica en el mapa los lugares indicados.

- Está al norte de Cuba.

  <u>Florida</u>

- Está al sur de Puerto Rico.

  <u>Venezuela</u>

- Está al este de Cuba.

  <u>Haití</u>

- Está al oeste de Puerto Rico.

  <u>República Dominicana</u>

4 Puerto Rico es así

▶ **Elige la respuesta correcta.**

- Puerto Rico es un Estado Libre Asociado con los Estados Unidos. Esto significa que…

  ☑ los puertorriqueños son ciudadanos estadounidenses.

  ☐ los puertorriqueños no tienen la ciudadanía estadounidense.

- El territorio de Puerto Rico está formado por…

  ☑ tres islas principales y otras muchas secundarias.

  ☐ una gran isla que se llama Puerto Rico.

- Las costas de Puerto Rico están bañadas por…

  ☑ el mar Caribe en el sur y el océano Atlántico en el norte.

  ☐ el mar Caribe.

5 Paisajes de Puerto Rico

▶ **Elige los paisajes que crees que hay en Puerto Rico.**

☐ Extensas selvas.

☑ Playas paradisíacas.

☐ Las montañas más altas del hemisferio norte.

☐ Icebergs y glaciares.

☑ Bosques tropicales.

☐ Ciudades de más de diez millones de habitantes.

☑ Ciudades con arquitectura colonial.

☐ Grandes desiertos.

ANSWERS WILL VARY

▶ **Explica por qué has hecho esa elección.**

Porque Puerto Rico es una isla tropical. Además, no tiene ciudades muy grandes.

ANSWERS WILL VARY

▶ **Escribe.**

- Si conoces Puerto Rico, explica qué es lo que más te gusta.
- Si no conoces Puerto Rico, ¿te gustaría conocerlo? Explica por qué.

Me encantaría conocer Puerto Rico porque he visto fotografías de sus paisajes y son espectaculares. Además, tengo amigos puertorriqueños y son muy alegres.

EL VIEJO SAN JUAN

No se pierda en el Viejo San Juan...

El Viejo San Juan cuenta con numerosos monumentos histórico-artísticos. Puede visitarlos paseando por sus calles o tomando uno de los troles turísticos. Estos son los monumentos que no puede dejar de visitar.

FUERTE DE SAN FELIPE DEL MORRO

Situado sobre un promontorio a la entrada de la bahía de San Juan. Fue construido para proteger el puerto de los piratas.

CALLE DEL CRISTO Y CALLE DE LA FORTALEZA

Calles históricas, llenas de colorido. Excelentes para hacer compras o almorzar.

CASA BLANCA

Primera estructura en San Juan que sirvió de defensa a la ciudad. Fue residencia de los descendientes de Juan Ponce de León, conquistador de la isla.

LAS GALERÍAS POR LA NOCHE

Cuando hace calor, las galerías de arte del Viejo San Juan abren sus puertas por la noche el primer martes de cada mes para organizar un sinfín de actividades al aire libre.

CASA DE LA FAMILIA PUERTORRIQUEÑA

Casa que recrea el estilo de vida español de la época colonial.

PLAZA DE ARMAS Y PLAZA COLÓN

Lugares llenos de historia que son, además, zonas de encuentro para los habitantes de San Juan.

Fuente: http://www.comoviajar.com. Texto adaptado.

6 **¿Es así el Viejo San Juan?**

▶ **Indica si las siguientes afirmaciones son ciertas (C) o falsas (F).**

1. El Viejo San Juan se puede visitar a pie.   Ⓒ F
2. El fuerte de San Felipe está sobre una elevación.   Ⓒ F
3. La calle de la Fortaleza es un buen lugar para ir de compras.   Ⓒ F
4. Los ciudadanos de San Juan se reúnen en la plaza de Armas.   Ⓒ F
5. En la calle del Cristo no hay restaurantes.   C Ⓕ

7 **Así es el Viejo San Juan**

ANSWERS WILL VARY

▶ **Escribe fragmentos del texto que confirmen los siguientes enunciados.**

1. San Juan de Puerto Rico sufría asedios con frecuencia.

   El fuerte de San Felipe del Morro fue construido para proteger el puerto

   de los piratas.

2. En el Viejo San Juan, los lugares históricos son escenario de actividades modernas.

   La calle del Cristo y la calle de la Fortaleza son excelentes para hacer compras.

3. La influencia española es notable en el Viejo San Juan.

   La Casa de la Familia Puertorriqueña recrea el estilo de vida español

   de la época colonial.

8 **Tienen el mismo significado**

▶ **Elige la palabra que significa lo mismo que la palabra destacada.**

promontorio	☐ bahía	☐ valle	☑ colina
invasión	☐ regreso	☑ ocupación	☐ piratería
recrear	☑ imitar	☐ falsificar	☐ caricaturizar

9 **Yo quiero visitar el Viejo San Juan**

ANSWERS WILL VARY

▶ **Responde. ¿Qué te gustaría visitar en el Viejo San Juan? ¿Por qué?**

   El fuerte de San Felipe del Morro, la Casa Blanca, la Plaza de Armas.

   Son lugares históricos e interesantes.

MI CASA ES TU CASA

Se vende

En Cupey (San Juan capital)

567 metros cuadrados. Consultar precio.

Preciosa y cómoda **casa** en la **urbanización** Remanso. Cuatro **habitaciones** y dos **baños**. **Cocina** italiana remodelada. **Garaje**, **jardín**, **patio**, **terraza**, **piscina**, aire acondicionado. Cercana al centro.

10 **Dependencias de la casa**

▶ **Escribe a qué cuarto corresponde cada definición.**

✔ *vestíbulo*   ✔ *salón*   ✔ *desván*   ✔ *despacho*   ✔ *comedor*   ✔ *despensa*

1. Pieza de la casa que da entrada a la zona habitada por la familia.
2. Pieza o sala de la casa donde se come.
3. Habitación destinada al estudio o a la gestión profesional.
4. Sala que suele usarse para guardar objetos.
5. Lugar habilitado para almacenar las cosas comestibles.
6. Sala de grandes dimensiones utilizada para reuniones familiares, visitas o fiestas.

1. __vestíbulo__   3. __despacho__   5. __despensa__
2. __comedor__   4. __desván__   6. __salón__

▶ **Escribe una oración con cada una de las palabras anteriores.**

1. __El vestíbulo estaba pintado de rojo.__
2. __La mesa del comedor es muy antigua.__
3. __Mi tío tiene muchos libros en su despacho.__
4. __Encontré esta caja en el desván.__
5. __Los chocolates están en la despensa.__
6. __Ya había comenzado el baile cuando llegó al salón.__

11 Frases enmarañadas

▶ **Las siguientes oraciones carecen de sentido porque la información está mal organizada. Reescríbelas reordenando la información de una manera lógica.**

1. Vivimos en un cuarto que está en una población a las afueras del chalé. Mi urbanización es la más grande de toda la casa.

   Vivimos en un chalé que está en una urbanización a las afueras de la población. Mi cuarto es el más grande de toda la casa.

2. Desde mi metrópolis puedo ver los rascacielos de los barrios de la pieza. Son cosas de vivir en una oficina.

   Desde mi pieza puedo ver las oficinas de los rascacielos del barrio. Son cosas de vivir en una metrópolis.

3. En todas las urbes de la vivienda hay problemas de seguridad. Por eso han puesto cámaras en las colonias y han cambiado las cerraduras de los inmuebles.

   En todas las colonias de la urbe hay problemas de seguridad. Por eso han puesto cámaras en los inmuebles y han cambiado las cerraduras.

12 Parecido pero no idéntico

▶ **Completa el texto con las siguientes palabras.**

domicilio   hogar   casa

> **María y su casa**
>
> Antes María vivía con sus padres. Ahora viaja constantemente. Por eso no tiene
>
> _____domicilio_____ fijo y es tan difícil localizarla. Sin embargo, María no echa
>
> de menos su _____hogar_____ porque en cualquier parte del mundo
>
> se siente como en su _____casa_____.

13 Mi casa ideal

▶ **Responde. ¿Cómo es tu casa ideal?**

Mi casa ideal es grande y muy cómoda. Tiene un jardín con muchas flores. Tiene sala, comedor, cocina, cuatro habitaciones y dos baños. También tiene una piscina en el jardín. Está muy cerca del centro de la ciudad.

ACENTUACIÓN DE LAS PALABRAS AGUDAS

En algunas palabras, la sílaba tónica se marca con acento gráfico o **tilde**.

Las palabras agudas llevan tilde cuando terminan en **n**, en **s** o en **vocal**.

Las palabras agudas llevan tilde si terminan en

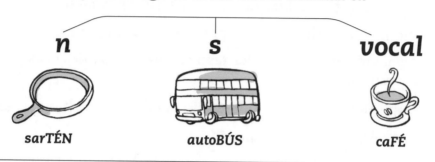

n	*s*	*vocal*
sarTÉN	autoBÚS	caFÉ

14 ¿Son agudas?

▶ **Tacha la palabra que no es aguda y escribe tilde donde corresponda.**

1. urbanización	~~garaje~~	balcón	habitación
2. buró	canapé	~~hamaca~~	quinqué
3. ~~antes~~	después	detrás	revés

▶ **Explica por qué deben llevar tilde las palabras de cada grupo.**

1. _Porque son agudas y terminan en n._

2. _Porque son agudas y terminan en vocal._

3. _Porque son agudas y terminan en s._

15 ¿Ahora o antes?

▶ **Transforma al pasado las siguientes oraciones.**

1. Después de comer me siento mal. Por eso me tomo una pastilla.

   Después de comer me sentí mal. **Por eso me tomé una pastilla.**

2. María salta a la pata coja y aplasta un ciempiés.

   María saltó a la pata coja y aplastó un ciempiés.

3. Pienso hacer los deberes. Decido empezar después de comer.

   Pensé hacer los deberes. Decidí empezar después de comer.

16 **¿Qué letras faltan?**

▶ Completa con vocales para formar palabras agudas.

s o f á   r u b í   ch a mp ú   d o m i n ó   b a mb ú

17 **¿Llevan o no llevan tilde?**

▶ Escribe tilde donde corresponda.

arcén	caracol	verbal	acción	sorber
quizás	canción	comí	sensatez	alguacil
gimió	tabú	tesón	beberás	ladrón
detrás	cojín	genial	salud	cajón

18 **¿Qué palabra falta?**

▶ Completa cada oración con una palabra de los siguientes pares.

✓ acepto / aceptó ✓   ✓ afecto / afectó ✓   ✔ giro / giró ✔

1. El partido dio un ___giro___ inesperado cuando Rafa Márquez saltó al terreno de juego.

2. Jaime y Luis son mis primos. Yo les tengo mucho ___afecto___.

3. Si ___acepto___ tu propuesta, ¿me dejarás el libro que te pedí?

4. Antes de salirse de la carretera, el carro ___giró___ bruscamente hacia la izquierda.

5. A mí no me ___afectó___ la tormenta de ayer. Estaba en casa cuando empezó.

6. Mi madre no ___aceptó___ mis condiciones y tuve que recoger antes de ir a jugar.

19 **¡Faltan tildes!**

▶ Escribe tilde donde corresponda.

CORREGIR

Las aventuras del marqués de Bradomín

Ayer, el señor marqués de Bradomín, después
de tomar el café en el salón y jugar al parchís
con su mujer, salió a pasear. Como es muy torpe,
en un santiamén se cayó en un socavón
y se destrozó el talón. Fermín, su mayordomo,
lo ayudó a volver al sofá, donde pasó la tarde
tomando infusión de tila con anís.

CONSTRUIR PÁRRAFOS

El Viejo San Juan cuenta con numerosos monumentos histórico-artísticos. Puede visitarlos paseando por sus calles o tomando uno de los troles turísticos. Algunos de estos monumentos son de la época colonial.

Los **textos** se organizan en **párrafos**. Cada párrafo, a su vez, se organiza en torno a una **idea principal**. Las **oraciones** en un párrafo deben estar ordenadas.

20 **¿Cuál es la idea principal?**

▶ Lee los siguientes párrafos y escribe la idea principal de cada uno.

1. A Ángel le encanta estar en casa. Disfruta mucho cocinando, tomando el sol en el jardín o cosiendo en el salón. Como es muy casero prefiere ver las películas en el televisor a ir al cine.

2. Tener un jardín cuidado requiere hacer muchas tareas. Hay que regar el césped y podar los arbustos de vez en cuando. Lo ideal es dedicarle algo de tiempo cada día.

3. Las casas del Viejo San Juan son preciosas. Quizás lo más bonito sean sus balcones enrejados. Además, como son de colores distintos, dan alegría a las calles.

1. A Ángel le encanta estar en casa.
2. Tener un jardín cuidado requiere hacer muchas tareas.
3. Las casas del Viejo San Juan son preciosas.

21 **Un mismo hilo para dos ovillos**

▶ Escribe dos párrafos distintos a partir de esta idea.

Es más cómodo vivir en la ciudad que en el campo.

1. En la ciudad, hay centros comerciales, cines, colegios, lugares para hacer deporte… En las ciudades se puede encontrar todo lo que una persona necesita.

2. Aunque las ciudades tienen inconvenientes, en ellas podemos encontrar lo que necesitemos. Siempre encontraremos gente con la que hacer algo.

22 **La importancia de las ideas**

▶ Escribe dos ideas secundarias para cada idea principal.

1. La convivencia en la familia es importante.

   Es algo que hay que cuidar.

   No siempre es fácil tener una buena convivencia.

2. La decoración puede hacer una casa más acogedora.

   Cada uno la decora a su gusto.

   No decorar una casa la convierte en algo impersonal.

23 **Reordenamos**

▶ En este párrafo, las oraciones están desordenadas. Léelo y ordena las oraciones de una manera lógica.

> Después de ordenarla, suele leer un cuento. Según su madre, Tomás dedica media hora diaria a ordenarla. Y, por supuesto, guarda el libro antes de ir a dormir. La habitación de Tomás siempre está muy ordenada.

La habitación de Tomás siempre está muy ordenada. Según su madre, Tomás

dedica media hora diaria a ordenarla. Después de ordenarla, suele leer un

cuento. Y, por supuesto, guarda el libro antes de ir a dormir.

24 **Vivir en familia**

▶ Escribe dos párrafos con tu opinión sobre la vida en familia.

A mí me parece que vivir en familia es importante. La familia te apoya,

te da consejos y te consuela cuando lo necesitas.

Sin embargo, para que todos estemos contentos, tenemos que respetarnos

los unos a los otros. Y eso no siempre es sencillo.

EL ORIGEN DEL COQUÍ

En Puerto Rico existen diferentes leyendas
sobre el origen del coquí. Una de ellas narra la historia
de una pequeña isla que el Creador colocó en medio
del mar. El Creador llenó la isla de árboles gigantescos
para protegerla del sol, le besó la frente y continuó
con sus quehaceres.

Al caer la noche, la isla se sintió muy sola y le pidió
al Creador que le enviara a alguien que le hiciese
compañía. El Creador decidió que la isla necesitaba
una voz amiga, así que tomó ingredientes especiales,
como polen de estrellas y sonido de lluvia,
y los introdujo en la garganta de una rana diminuta
a la que llamó coquí. Luego, la asignó como compañera
de la isla y le pidió que todas las noches cantara
para ella.

Desde entonces, el coquí canta noche tras noche
para que la isla de Puerto Rico consiga dormir.

LEYENDA POPULAR.

25 **¿Cuál es el origen del coquí?**

▶ Responde.

1. ¿Qué había en la isla antes de que el Creador inventara el coquí?

   Árboles gigantescos.

2. ¿Por qué se sentía sola la isla?

   Porque no tenía a nadie que la acompañara.

3. Según la leyenda, ¿cuándo canta el coquí? ¿Por qué?

   El coquí canta de noche para que la isla de Puerto Rico consiga dormir.

26 **Ordenamos la leyenda**

▶ Ordena cronológicamente los siguientes hechos de acuerdo con la leyenda.

_3_ El Creador introdujo polen de estrellas y sonido de lluvia en la garganta de una rana.

_1_ La isla se sintió muy sola cuando llegó la noche.

_4_ El Creador pidió al coquí que cantase para la isla.

_2_ La isla pidió al Creador que le diese un compañero.

27 **Puerto Rico y el coquí**

▶ Responde.

1. ¿Por qué piensas que hay tantas historias y leyendas acerca del coquí?

   Porque es un símbolo de Puerto Rico.

2. ¿Qué crees que quiere decir que la rana llamada coquí es *compañera de la isla*?

   Quiere decir que le hace compañía a la isla.

28 **En mi país...**

▶ Responde. ¿Hay alguna leyenda sobre el origen de tu país? ¿Cuál?

En México hay una leyenda sobre el origen de la capital. Se dice que un dios

azteca le indicó a su pueblo dónde debía fundar la ciudad: donde vieran un

águila devorando a una serpiente.

QUIEN FUE A SEVILLA PERDIÓ SU SILLA

El bosque tropical de El Yunque es la **casa** de los coquíes. Si quieres verlos, haz una excursión por el bosque. Aunque es muy grande, podrás descansar en sus sitios recreativos. En todos ellos hay **baños** y **bancos** y **mesas** para comer y reposar.

29 ¡Cuántos muebles!

▶ Clasifica las siguientes palabras.

✔ sillón ✔ armario ✔ litera ✔ escritorio ✔ pupitre ✔ cama
✔ cuna ✔ mesa ✔ mecedora ✔ alacena ✔ butaca ✔ aparador

para sentarse	sillón, **mecedora, butaca**
para acostarse	**cuna, litera, cama**
para apoyar objetos	**mesa, escritorio, pupitre**
para guardar objetos	**armario, alacena, aparador**

30 Nos faltan palabras

▶ Completa el texto utilizando palabras de la actividad 29.

Así es mi casa

En casa somos muchos. Yo comparto cuarto con los gemelos. Yo duermo en una _____cama_____ y ellos en una _____litera_____.

Tenemos tres _____pupitres_____ para hacer los deberes. Susanita, como aún es un bebé, duerme en una _____cuna_____, en el cuarto de mis padres. En él también hay un _____armario_____ muy grande, con toda su ropa. En el salón hay tres _____butacas_____ muy cómodas, un _____sillón_____ de cuero y una _____mecedora_____.

Mi abuela se queda dormida con el vaivén en cuanto se sienta en ella.

En la cocina hay una _____mesa_____ enorme y muchas _____alacenas_____ para almacenar comida.

31 **La parte por el todo**

▶ Escribe la palabra correspondiente a la parte señalada de cada dibujo.

✔ estante ✔ cajón ✔ tirador ✔ barrote ✔ bisagra ✔ grifo

1. _tirador_ 3. _grifo_ 5. _barrote_
2. _cajón_ 4. _bisagra_ 6. _estante_

32 **¡Cuántos objetos!**

▶ Forma nombres de muebles y objetos de la casa a partir de las siguientes palabras. Añade -ero.

- ropa _ropero_
- percha **perchero**
- paraguas **paragüero**

- revista **revistero**
- toalla **toallero**
- zapato **zapatero**

33 **El mueble en la mueblería**

▶ Completa el texto con las siguientes palabras de la misma familia.

| mueble | • amueblar | • mueblería | • guardamuebles |

De compras

Ayer fuimos todos juntos a una _____ **mueblería** _____. Mis padres quieren comprar muchos _____ **muebles** _____ porque han decidido _____ **amueblar** _____ la casa nuevamente. Todo lo que teníamos lo hemos dejado en un _____ **guardamuebles** _____.

34 **El cuarto de mis sueños**

▶ Describe el cuarto que te gustaría tener.

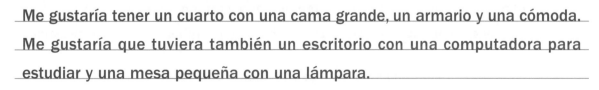

Me gustaría tener un cuarto con una cama grande, un armario y una cómoda.

Me gustaría que tuviera también un escritorio con una computadora para

estudiar y una mesa pequeña con una lámpara.

ACENTUACIÓN DE LAS PALABRAS LLANAS

Las palabras llanas llevan tilde cuando terminan en una consonante distinta de **n** o **s** o cuando terminan en dos consonantes.

Las palabras llanas llevan tilde si terminan en

consonante distinta de *n* o *s*

dos consonantes

ÁNgel   LÁpiz

BÍceps

---

35 **¿Son palabras llanas?**

▶ **Clasifica las palabras llanas y escribe tilde donde corresponda.**

✔ cómic   ✔ examen   ✔ conciencia   azul   ✔ cráter   ✔ enfermo   ✔ bosque

✔ césped   jardín   ansiedad   ✔ dólar   ✔ cima   ✔ túnel   ✔ árbol

✔ trébol   ✔ imagen   ✔ cocina   ✔ cárcel   federal   amor   ✔ pronto

| palabras llanas sin tilde | examen, imagen, conciencia, cocina, cima, enfermo, bosque, pronto |

| palabras llanas con tilde | cómic, césped, trébol, cárcel, dólar, cráter, fórceps, túnel, árbol |

---

36 **¿Sin tilde o con tilde?**

▶ **Escribe tilde donde corresponda.**

1 Víctor y Juan tienen el pulso débil porque toman poco azúcar.

2. No soy muy hábil usando la agenda del móvil, prefiero usar lápiz y papel.

3. César tiene muy mal carácter: es un hombre difícil que puede acabar en la cárcel.

4. Algunas barcas de vela tienen un mástil fijo y un mástil móvil.

5. Miguel tiene un dólar de la suerte y Cristóbal un trébol: son muy supersticiosos.

▶ **Escribe una oración usando tres palabras llanas con tilde.**

El lápiz que compré en la papelería por un dólar es muy frágil.

Crucigrama de palabras llanas

▶ **Resuelve el crucigrama.**

Presta atención a las tildes.

HORIZONTALES

1. Quebradizo, poco resistente.
2. Que se puede mover.
3. Liso, blando, agradable al tacto.

VERTICALES

4. Que sirve para un fin.
5. Serio, de mucha importancia.
6. Que se mueve con soltura.
7. Que no implica dificultad.
8. Que tiene poca fuerza.

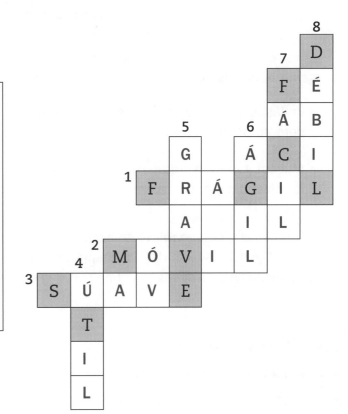

▶ **Escribe los nombres correspondientes a las palabras del crucigrama.**

1. frágil → fragilidad
2. móvil → movilidad
3. suave → suavidad
4. útil → utilidad
5. grave → gravedad
6. ágil → agilidad
7. fácil → facilidad
8. débil → debilidad

▶ **Responde. ¿Llevan tilde los nombres que has escrito? ¿Por qué?**

No. Porque son palabras agudas que no terminan ni en *n*, ni en *s*, ni en vocal.

38 Muchas palabras llanas

▶ **Escribe tilde donde corresponda.**

CORREGIR

Héctor y la ciencia

Héctor Gómez Muñiz trabaja gratis en unos laboratorios. Los lunes investiga sobre algunos huesos del tórax y del abdomen. Los martes estudia piedras de nácar, mármol y ámbar. Los jueves investiga para curar las roturas del fémur con rayos láser. Los viernes cuida de un cóndor. Sus amigos le dicen que es un mártir de la ciencia.

UNA LEYENDA

El texto *El origen del coquí* (pág. 76) es una leyenda que ofrece una explicación fantástica sobre la peculiaridad del canto del coquí y su vinculación con Puerto Rico.

- En las leyendas, las acciones son prodigiosas, pero se presentan como reales.

> *Tomó ingredientes especiales y los introdujo en la garganta del coquí.*

- Muchas leyendas tratan de explicar algún fenómeno de la naturaleza.

> *Desde entonces, el coquí canta noche tras noche para que la isla descanse.*

> Una leyenda es un **relato** de **hechos maravillosos** que se presentan como reales. Las leyendas suelen dar una **respuesta ficticia** a **grandes preguntas** de los seres humanos, como el origen del mundo o la existencia de ciertos fenómenos naturales.

39 **Mi propia leyenda**

▶ **Escribe una leyenda. Sigue estos pasos.**

A. Elige el fenómeno natural o cultural que quieras explicar.

El melodioso canto del coquí.   *El origen de la primavera.*

 La llegada de la primavera.

B. Decide la explicación que vas a dar.

- Piensa en el **planteamiento**, en el **nudo** y en el **desenlace**.
- Debes incluir **elementos maravillosos**: pueden ser personajes o acontecimientos.

  – **Planteamiento:** *el Creador coloca una isla en medio del mar.*

  – **Nudo:** *la isla se siente sola.*

  – **Desenlace:** *el Creador mete ingredientes mágicos en la garganta de una rana y le pide que cante.*

  – **Elementos maravillosos:** *la presencia del Creador y los ingredientes mágicos.*

  – Planteamiento: la Primavera es una diosa que vive libre todo el año.

  – Nudo: en cierta ocasión, arrancó demasiadas flores de un campo para hacerse un collar.

  – Desenlace: el dios de las Estaciones la castigó y la encerró durante tres meses, pues ya no quedaban flores.

  – Elementos maravillosos: los dioses.

C. Haz referencia al significado de tu leyenda en la actualidad.

Desde entonces, el coquí canta noche tras noche para que la isla descanse.

Por eso, antes de la llegada de la primavera pasamos tres meses sin flores: es el castigo que cumple la diosa Primavera.

D. Pasa a limpio tu leyenda.
- Escribe un título.
- Revisa la ordenación de los párrafos y la ortografía.

El regreso de la primavera

La Primavera era una diosa muy traviesa. Durante todo el año paseaba por los campos, llenándolos de perfume y alegría. Pero la Primavera también era muy presumida. Un día, quiso hacerse un collar de flores. Empezó recogiendo flores de un campo, luego de otro, luego de otro… hasta que no quedó una flor sobre la tierra.

El dios de las Estaciones se dio cuenta y decidió que había que castigar a la Primavera. La encerró durante tres meses en una cueva, para que no pudiera coger más flores.

Cuando la Primavera sale de su encierro, los campos se alegran de verla y festejan su regreso con flores y frutos. Entonces, la Primavera vuelve a caer en la tentación de hacerse un collar y es castigada de nuevo. Por eso, todos los años, antes de la primavera, pasamos tres meses de invierno: es el tiempo que la diosa Primavera está castigada.

RECOMENDACIONES PARA DISFRUTAR DE LA BAHÍA BIOLUMINISCENTE

La bahía bioluminiscente de la isla de Vieques, en Puerto Rico, es uno de los pocos lugares del mundo donde se puede observar el fenómeno de la luminiscencia. En esta bahía se forman unos organismos microscópicos que emiten una luz azulada cuando se les perturba. He aquí una lista de consejos que debes tener en cuenta si tienes pensado viajar a Vieques para observar el fenómeno.

1. Planea tu viaje con antelación. Debes alojarte en Puerto Mosquito al menos una noche.

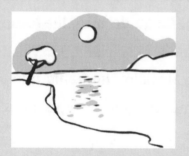

2. Ten en cuenta el calendario lunar porque hay noches en las que el fenómeno no es observable o no se aprecia muy bien.

3. Aunque se puede navegar por la bahía en barco, lo ideal es contratar una excursión en kayak. Es más entretenido y el fenómeno se experimenta de forma más intensa. Debes ir preparado: lleva traje de baño y ropa para cambiarte.

4. Sé respetuoso con la naturaleza. Ten en cuenta que la bahía bioluminiscente es un lugar protegido y que tiene un ecosistema muy frágil. No arrojes basuras ni hagas excesivo ruido.

5. ¡Prepárate para vivir una experiencia inolvidable!

40 ¿Será cierto?

▶ **Indica si las siguientes afirmaciones son ciertas (C) o falsas (F).**

1. La bioluminiscencia es un fenómeno que solo se observa en la isla de Vieques.   C   (F)
2. Las mejores noches para observar el fenómeno son las noches sin luna.   (C)   F
3. Si quieres ir a la bahía bioluminiscente, debes llevar tu propio kayak.   C   (F)
4. No es necesario llevar ropa adecuada para la ocasión.   C   (F)
5. La luz azulada se produce cuando ciertos microorganismos se alimentan.   C   (F)
6. Es conveniente cuidar la bahía, pues tiene un ecosistema delicado.   (C)   F

41 ¿Qué quiere decir?

▶ **Elige la respuesta correcta.**

1. La bahía bioluminiscente es un **lugar protegido**. Esto quiere decir que…

   ☐ es un lugar de difícil acceso, que está escondido.

   ☑ es un lugar que las autoridades preservan y cuidan.

2. Hay noches en que el fenómeno **no se aprecia muy bien**. Esto quiere decir que…

   ☑ no se percibe con claridad.

   ☐ la gente no desea verlo.

42 Hacer recomendaciones

ANSWERS WILL VARY

▶ **Escribe recomendaciones para estas personas que quieren ir a Vieques.**

1. Una familia muy numerosa que tiene dos perros.

   Planear el viaje con antelación.

   Informarse sobre si hay alojamiento donde admitan perros.

2. Una persona de movilidad reducida.

   Considerar los distintos tipos de excursión para encontrar la más apropiada

   de acuerdo con sus posibilidades.

43 Si yo estuviera en Vieques

ANSWERS WILL VARY

▶ **Responde. ¿Qué harías si pudieras ir a la bahía bioluminiscente?**

   Una excursión en kayak.

   Un paseo a caballo o en bicicleta.

   Darme un baño.

LIMPIAR, LIMPIAR, LIMPIAR SIN PARAR

He prometido a mis padres que voy a **lavar los platos**, **barrer el suelo** y **sacar la basura** antes de irme de excursión. ¡Tengo tantas ganas de ir a la bahía bioluminiscente que no me importa hacer todas las **tareas**!

44 **¿Limpiar, fregar o frotar?**

▶ **Relaciona cada palabra de la columna A con una definición de la columna B.**

A		B
1. fregar		a. quitar el polvo del suelo con una escoba.
2. barrer		b. limpiar la vajilla o el suelo con agua y jabón.
3. aspirar		c. absorber el polvo y la suciedad utilizando algún aparato.
4. pulir		d. limpiar una superficie utilizando un cepillo.
5. cepillar		e. alisar una superficie para darle brillo y suavidad.

▶ **Escribe dos oraciones utilizando algunas de las palabras anteriores.**

Después de comer hay que fregar los platos.

Para barrer el suelo necesitamos una escoba.

45 **¿Con qué limpiamos?**

▶ **Escribe la palabra que corresponde a cada dibujo.**

✔ fregona   ✔ aspiradora   ✔ estropajo   ✔ bayeta   ✔ recogedor   ✔ escoba

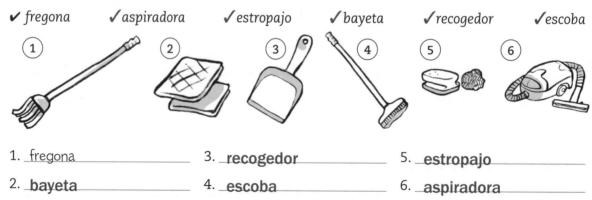

1. fregona   3. recogedor   5. estropajo
2. bayeta   4. escoba   6. aspiradora

▶ **Escribe una definición de uno de los objetos.**

Bayeta: paño que sirve para limpiar superficies frotándolas.

46 ¿Limpio o sucio?

▶ Clasifica las siguientes palabras y expresiones.

✔ hecho una leonera   ✔ pringoso   ✔ inmaculado

✔ recogido   ✔ asqueroso   ✔ descuidado

✔ como los chorros del oro ✔ polvoriento   ✔ arreglado

LIMPIO	SUCIO
recogido	hecho una leonera
como los chorros los oro	pringoso
inmaculado	asqueroso
arreglado	polvoriento
	descuidado

▶ Responde. ¿Cómo está normalmente tu cuarto? ¿Cómo podría estar?

Normalmente mi cuarto está recogido. Podría estar descuidado y hecho una

leonera.

47 Queremos tener la ropa limpia

▶ Ordena las siguientes palabras de acuerdo con el proceso de cuidar la ropa.

✔ enjabonar   ✔ mojar   ✔ tender   ✔ planchar
✔ frotar   ✔ aclarar   ✔ secar   ✔ escurrir

1. __mojar__   3. __frotar__   5. __escurrir__   7. __secar__

2. __enjabonar__   4. __aclarar__   6. __tender__   8. __planchar__

▶ Explica cómo hay que cuidar la ropa.

Para lavar la ropa debemos clasificarla de acuerdo con el color y el tejido.

Es importante leer las etiquetas para ver las instrucciones de lavado.

Hay que dosificar el detergente.

48 Las tareas que yo hago

▶ Explica qué tareas domésticas haces en tu casa.

Pasar la aspiradora. Recoger las habitaciones. Barrer la sala.

ACENTUACIÓN DE LAS PALABRAS ESDRÚJULAS Y SOBRESDRÚJULAS

Las palabras **esdrújulas** y **sobresdrújulas** siempre llevan tilde. Son **sobresdrújulas** las palabras que tienen su sílaba tónica antes de la antepenúltima sílaba.

Las palabras esdrújulas y sobresdrújulas llevan tilde

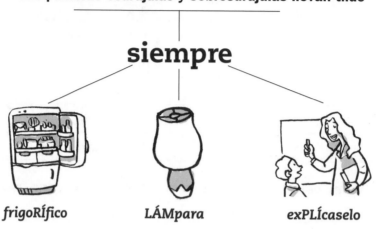

siempre

frigoRÍfico   LÁMpara   exPLÍcaselo

---

49 **¿Esdrújulas o sobresdrújulas?**

▶ **Clasifica las siguientes palabras.**

✔ fantástico   ✔ cómpraselo   ✔ arguméntaselo   ✔ terrorífico   ✔ plantéatelo   ✔ acércamelo
✔ telégrafo   ✔ helicóptero   ✔ cáscara   ✔ hígado   ✔ semáforo   ✔ escuchémosle

esdrújulas	fantástico, **telégrafo, helicóptero, cáscara, terrorífico, hígado,** **semáforo, escuchémosle, arguméntalo**
sobresdrújulas	**cómpraselo, plantéatelo, acércamelo**

---

50 **Adivina, adivinanza**

▶ **Escribe la palabra que corresponde a cada definición.**

1. Piezas de tela que se colocan en la cama.   sábanas

2. Mueble con cajones que sirve para guardar ropa.   **cómoda**

3. Cualquier aparato eléctrico utilizado para las tareas domésticas.   **electrodoméstico**

4. Zona de la vivienda situada a la entrada.   **vestíbulo**

5. Cuarto subterráneo ubicado en los cimientos de un edificio.   **sótano**

51 **Es decir...**

▶ Sustituye la parte destacada por una palabra que signifique lo mismo.

1. El cambio **que está experimentando el clima** es un problema de difícil solución.

   El cambio **climático** es un problema de difícil solución.

2. Además de saber contar cuentos maravillosos, tiene mucho talento **para la poesía**.

   Además de saber contar cuentos maravillosos, tiene mucho talento poético.

3. Algunos ecosistemas **de la selva** todavía son un misterio para el hombre.

   Algunos ecosistemas selváticos todavía son un misterio para el hombre.

4. El *windsurf* es un deporte **para practicar en el agua**.

   El *windsurf* es un deporte acuático.

5. La pasta es un alimento **que produce mucha energía**.

   La pasta es un alimento muy energético.

52 **¡Hazlo!**

▶ Escribe las siguientes oraciones en una sola palabra.

1. Escucha **a tu padre**. Escúchalo.

2. Compra **flores a la florista**. Cómpraselas.

3. Guarda **mi cuaderno**. Guárdamelo.

4. Cuéntanos **lo que te ocurre**. Cuéntanoslo.

5. Presta **los libros a mis amigos**. Préstaselos.

▶ Ahora, escribe solo las palabras sobresdrújulas.

   cómpraselas, guárdamelo, cuéntanoslo, préstaselos

53 **Una historia con tildes**

▶ Escribe tilde donde corresponda.

CORREGIR

Los vaivenes de Álvaro

Álvaro era el típico sujeto enfermizo: era asmático y diabético. Se vigilaba con análisis diarios, pero pensaba que era ridículo tanto control sanguíneo. Una tarde vio en un folleto turístico que el clima del trópico es magnífico para la salud. Ahora vive en África. En la época cálida descansa en las costas y durante la época lluviosa busca zonas desérticas. Vive contentísimo todo el año.

RECOMENDACIONES

En la página 84 se explica de forma ordenada y clara el mejor modo de organizar y disfrutar un viaje a la bahía de Vieques. Esas recomendaciones tienen unas características muy concretas.

- Dicen claramente su objetivo:

  > *Recomendaciones **para disfrutar de la bahía bioluminiscente.***

- Se dirigen directamente al lector:

  > *He aquí una lista que **debes** tener en cuenta…*

- Dan instrucciones ordenadas:

  > ***1.** Planea tu viaje.*
  > ***2.** Ten en cuenta el calendario lunar.*

Las **recomendaciones** son textos escritos que **explican y aconsejan** el modo de llevar a cabo una tarea o de organizar un acto. **Se ordenan en pasos** y **se dirigen expresamente al destinatario** para guiar su comportamiento.

54 Recomendaciones para mi casa

▶ **Escribe recomendaciones para mejorar la convivencia en tu casa.**

A. Elige algún aspecto de la convivencia en tu casa que quieras mejorar.

El reparto de las tareas domésticas.   *La distribución de los espacios comunes.*

Turnos para usar los espacios comunes.

B. Escribe un título especificando el objetivo de tus recomendaciones.

Cómo distribuir las tareas domésticas.

Horarios para utilizar las salas comunes.

C. Escribe un párrafo de introducción explicando a quién te diriges y con qué objetivo.

Para mejorar la organización en casa, todos debemos seguir estas indicaciones.

Como somos muchos en casa, todos nosotros debemos tener en cuenta

estas recomendaciones sobre el horario más adecuado para usar los

espacios comunes.

D. **Escribe las recomendaciones.**
   - Sigue un orden coherente: de lo general a lo particular, según el espacio o el tiempo, según los roles familiares...
   - Dirígete expresamente a tu destinatario. Puedes usar imperativos como *recojan* o expresiones como *es recomendable, se recomienda, aconsejo...*

   1. Es aconsejable que cada miembro de la familia indique qué puede hacer.

   2. No asuman tareas que saben que no van a poder hacer.

   1. Es aconsejable establecer turnos para usar el baño y la cocina.

   2. Conviene avisar con antelación cuándo necesitaremos usar la sala de la computadora.

   3. Hay que intentar respetar los horarios.

   4. Recomiendo establecer, por votación, un calendario.

E. **Pasa a limpio tus recomendaciones.**
   - Escribe un título de forma destacada.
   - Revisa la ordenación y la ortografía.

   Horarios para utilizar los espacios comunes

   1. Es aconsejable establecer turnos para usar el baño y la cocina.

   2. Conviene avisar con antelación cuándo necesitaremos usar la sala de la computadora.

   3. Recomiendo establecer, por votación, un calendario y un horario.

   4. Hay que intentar respetar los horarios establecidos.

LEY PARA LA PROTECCIÓN DE LAS CAVERNAS DE PUERTO RICO

LEY para proteger y conservar las cuevas y cavernas, su flora, su fauna, su agua y sus valores arqueológicos; evitar la posesión y venta de materiales naturales e imponer penalidades.

EXPOSICIÓN DE MOTIVOS

Las cuevas y cavernas de Puerto Rico son un recurso natural que necesita protección inmediata para evitar daños irreparables.

Es penoso ver cómo son dañadas y destruidas sus formaciones naturales.

Debemos preservar estas maravillas del mundo subterráneo.

ARTÍCULO 2

Se declara por la presente que es política pública del Estado Libre Asociado proteger y conservar las cuevas y cavernas en Puerto Rico.

ARTÍCULO 4. PROHIBICIONES Y PENALIDADES

Toda persona que voluntariamente realice cualquiera de los siguientes actos será sancionada con pena de reclusión o multa:

1. Romper, agrietar, esculpir, pintar, escribir, marcar, dañar o destruir cualquier material natural de las cuevas y cavernas.
2. Alterar la atmósfera natural de cualquier cueva y caverna.

ARTÍCULO 7. ACTIVIDADES PERMITIDAS

Se podrán realizar las siguientes actividades en las cuevas:

1. Tomar muestras de aguas, aire, fauna, flora y materiales naturales para realizar estudios científicos.
2. Proteger cualquier organismo, animal o planta, y evitar la propagación de enfermedades en ellos.

Fuente: DEPARTAMENTO DE RECURSOS NATURALES Y AMBIENTALES. *Ley 111 del 12 de julio de 1985.* Texto adaptado.

55 **¿Qué sabes de la ley?**

▶ Responde.

1. ¿Para qué se crea esta ley?

   Para proteger y conservar las cuevas y cavernas en Puerto Rico.

2. ¿Por qué se crea esta ley?

   Porque las cuevas y cavernas son un recurso natural que necesita protección.

3. ¿Qué comportamientos están penalizados por la ley? ¿Qué penalizaciones hay?

   Romper, agrietar esculpir, pintar, escribir, marcar y destruir las cuevas y

   cavernas. Sanción con pena de reclusión o multa.

56 **¿Qué significa?**

▶ Elige la palabra que significa lo mismo que la palabra destacada.

daños **irreparables**	☑ irremediables	☐ irrepetibles	☐ perjudiciales
será **sancionada**	☐ recompensada	☑ castigada	☐ advertida
propagación de enfermedades	☐ detección	☐ tratamiento	☑ proliferación

57 **Para tenerlo claro**

▶ Completa el organizador gráfico.

Ley de protección y conservación de las cuevas y cavernas de Puerto Rico → Prohibiciones (Artículo 4)

Acciones: Romper, agrietar esculpir, pintar, marcar, dañar, alterar la atmósfera natural.

Sanciones: Pena de reclusión o multa.

58 **Razones para todo**

ANSWERS WILL VARY

▶ Responde. ¿Crees que es bueno sancionar a quien no respeta la naturaleza? ¿Por qué?

   Sí, porque es importante que las personas aprendan a respetar la naturaleza,

   ya que es una fuente de recursos que debemos proteger y preservar.

RATOS DE OCIO: PASARLA EN GRANDE

> Cuando **vemos la televisión**, mis hermanos mayores y yo nos peleamos por el **mando a distancia**. ¡Todos queremos ver distintos **programas**! Mi hermana, en cambio, **lee revistas** y **hace los pasatiempos** en un sillón. Ella sola **se divierte** mucho.

59 Ratos de ocio

▶ Escribe solo las palabras que tengan un significado semejante a *ocio*.

(tiempo libre)   (recreo)   afición   obligaciones   (descanso)   tranquilidad

<u>tiempo libre, recreo, descanso</u>

60 ¿Cómo estamos?

▶ Completa con las siguientes palabras de la misma familia.

| cansancio | • cansar | • descansar | • incansable | • descanso |

1. Después de cinco días de escuela, merezco un <u>**descanso**</u>.

2. Mi hermano pequeño es <u>**incansable**</u> : no para quieto ni un momento.

3. Para <u>**descansar**</u> de verdad, es necesario un buen colchón.

4. Mi profesor nunca se <u>**cansa**</u> de explicarnos lo que no entendemos.

5. Si manejas un carro, debes parar al menor síntoma de <u>**cansancio**</u>.

61 ¿Cómo es?

▶ Sustituye cada palabra destacada por una que signifique lo contrario.

| aburrido | • Ver los partidos de fútbol en directo no es nada **relajante**.
 <u>**Ver los partidos de fútbol en directo no es nada estresante.**</u> |

| estresante | • A mí me parece muy **divertido** jugar a las cartas.
 <u>**A mí me parece muy aburrido jugar a las cartas.**</u> |

| agotador | • Leer el periódico resulta muy **descansado**.
 <u>**Leer el periódico resulta muy agotador.**</u> |

62 **Tantas ganas...**

▶ Sustituye cada expresión destacada por una que signifique lo mismo.

de mala gana   *tener ganas de*

1. No **me apetece** salir a pasear bajo la lluvia.

   No tengo ganas de salir a pasear bajo la lluvia.

2. Mi madre me deja salir, pero **con resistencia**.

   Mi madre me deja salir, pero de mala gana.

63 **¿Qué pueden hacer?**

▶ Escribe respuestas para los siguientes mensajes.

¡Hola!
Estoy en casa y no sé qué hacer.
El televisor está estropeado.
No tengo revistas y mi hermano
ha sacado a pasear a Rufus.
¿Qué puedo hacer para divertirme?

Felipe

¡Hola!
¿Qué haces? Yo nada. Estoy harta
de escuchar música, harta de jugar
con mis hermanos y ya no sé
qué más hacer. ¿Qué me sugieres?
Gracias,

Sandra

A Felipe: Puedes practicar un deporte que te guste, dar un paseo, visitar una

exposición en el museo, escuchar música o tomar un helado.

A Sandra: Puedes salir a dar un paseo, leer un libro o una revista, llamar a una

amiga por teléfono o irte de compras.

64 **Mi tiempo libre**

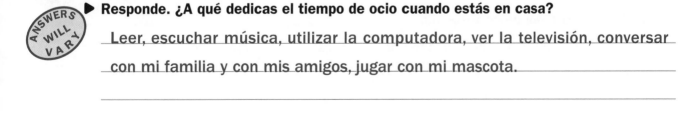

▶ Responde. ¿A qué dedicas el tiempo de ocio cuando estás en casa?

Leer, escuchar música, utilizar la computadora, ver la televisión, conversar

con mi familia y con mis amigos, jugar con mi mascota.

ACENTUACIÓN
DE LAS PALABRAS MONOSÍLABAS

Las palabras de una sola sílaba, como *pan*, *mar* o *fe*, no llevan tilde.
Sin embargo, algunos monosílabos llevan tilde para diferenciarse de otra palabra
que se escribe igual pero que tiene un significado distinto. Los más frecuentes son:

Monosílabos sin tilde

de (preposición) *La casa **de** Juan*.

el (artículo) ***El** carro no corre*.

mi (posesión) ***Mi** madre me quiere*.

se (pronombre) *María **se** peina*.

si (condición) ***Si** quieres, te escribo*.

te (pronombre) ***Te** lo digo a ti*.

tu (posesión) *Olvidaste **tu** libro*.

Monosílabos con tilde

dé (verbo *dar*) *No me **dé** la espalda*.

él (pronombre) ***Él** es mi amigo*.

mí (pronombre) *No te rías de **mí***.

sé (verbos *ser* y *saber*) *Lo **sé** todo*.

sí (afirmación) ***Sí**, por favor*.

té (nombre) *Me gusta el **té***.

tú (pronombre) ***Tú** eres guapa*.

---

65 **¿Son monosílabas?**

▶ **Escribe solo las palabras que sean monosílabas.**

✔ tren	país	azul	✓ don	✓ par	✓ cien	✓ tul
✓ bien	✓ mal	oí	✓ dios	✓ le	✓ vas	✓ buey
✓ miel	✓ ven	baúl	búho	✓ vez	ave	✓ plan

<u>tren</u> , **bien, miel, mal, ven, don, dios, par, le, vez, cien, vas, tul, buey, plan**

---

66 **¿Tengo que poner tilde?**

▶ **Escribe tilde donde corresponda.**

1. Te tengo dicho que no bebas té por las tardes.

2. ¿Tienes tú tu chal gris o lo tengo yo?

3. El conductor del bus me dijo que él no estaba la noche del accidente.

4. Tu hermano se parece a ti y tú te pareces a tu madre. Te pareces a los dos.

5. No seas cruel: no es que me dé miedo el mar, me da miedo caerme de la barca.

6. Si quieres que yo diga que sí, debes convencerme a mí, no a mis padres.

67 **¿Qué recuerdo de las palabras agudas?**

▶ Escribe solo las palabras agudas.

✔ escorpión	abrigo	✔ desván	✔ además	doméstico	✔ comer	✔ protección
✔ proteger	caverna	✔ ciempiés	✔ será	tarea	música	✔ bambú

<u>escorpión</u>, **proteger, desván, ciempiés, además, será, comer, protección, bambú**

▶ Responde. ¿Qué palabras de las que has escrito llevan tilde? ¿Por qué la llevan?

Todas, salvo *proteger* y *comer*. Son palabras agudas que terminan en *n, s* o vocal.

68 **Algunas palabras son llanas**

▶ Escribe cuatro palabras llanas sin tilde y cuatro palabras llanas con tilde.

Sin tilde: faro, risa, texto, pluma.

Con tilde: lápiz, móvil, árbol, césped.

69 **Y otras son palabras esdrújulas**

▶ Clasifica las siguientes palabras y añade dos más a cada categoría.

✔ bóveda   ✔ tímido   ✔ recuérdaselo   ✔ áspero   ✔ sólido   ✔ guárdamelo   ✔ pérdida

esdrújulas	<u>bóveda</u>, **tímido, áspero, sólido, pérdida, lágrima, océano**

sobresdrújulas	recuérdaselo, guárdamelo, véndemelo, cómpramelo

70 **¡Repasamos!**

▶ Escribe tilde donde corresponda.

CORREGIR

Los cachorros

Bárbara, Víctor y Andrés son muy perezosos. No mueven ni un músculo para
ayudar en casa. No secan los cacharros del té, no recogen las cáscaras
de los plátanos, jamás cortan el césped, ni ayudan con la poda de ningún árbol.
Tampoco compran azúcar, ni preparan café, ni siquiera barren un poco
el almacén. Nunca contestan al teléfono ni lavan el automóvil. No dibujan,
no escriben los recados ni a bolígrafo ni a lápiz. Eso sí, hay que tener en cuenta
que Víctor es muy debil, Bárbara muy poco ágil y Andrés es más bien torpón.
Además, ¡solamente son unos cachorros!

SUSTITUIR PALABRAS

Está prohibido:

Romper, agrietar, esculpir, pintar, escribir, marcar, dañar o **destruir** los materiales naturales de las cuevas. Es decir, está prohibido **alterar** los materiales.

En una oración es posible **sustituir palabras** por otras que significan lo mismo o que se refieren a las mismas nociones.

71 **Evitemos repeticiones**

▶ Sustituye las palabras destacadas.

> **Mi viaje a las cavernas de Camuy**
>
> Ayer fui a las cavernas del río Camuy con mi padre y con mi hermana. **Mi padre y mi hermana** quisieron hacer el viaje hasta **las cavernas** en autobús porque desde **el autobús** se ve mejor el paisaje. Mi hermana estaba encantada y yo no paré de hacer fotos **a mi hermana**. Volvimos a casa tarde. Mi madre estaba esperando **en casa**. Cenamos **mi madre, mi padre, mi hermana y yo** juntos. Mi madre preparó pescado. La receta de pescado **de mi madre** está muy rica.

~~Mi padre y mi hermana~~ quisieron hacer el viaje hasta ~~las cavernas~~ → **Ellos** quisieron hacer el viaje hasta **allí...** **en autobús porque desde él se ve mejor el paisaje. Mi hermana estaba encantada y yo no paré de hacerle fotos. Volvimos a casa tarde. Mi madre estaba esperando allí. Cenamos todos juntos. Mi madre preparó pescado. Su receta de pescado está muy rica.**

▶ **Reescribe las siguientes frases evitando las repeticiones innecesarias.**

1. Mi hermana y mi padre hicieron fotos, pero mi hermana hizo mejores fotos.

   Mi hermana y mi padre hicieron fotos, pero ella las hizo mejores.

2. Prepara una tarta con fresas para Juan y di a Juan que se coma la tarta.

   Prepara una tarta con fresas para Juan y dile que se la coma.

72 **Hay que ser preciso**

▶ Sustituye el verbo *hacer* por otro más concreto.

fabricar   *celebrar*   *representar*

1. Mi padre trabaja en una empresa **haciendo** objetos de metal.

   Mi padre trabaja en una empresa fabricando objetos de metal.

2. Yo **hago** el papel de payaso en la función de la escuela.

   Yo represento el papel de payaso en la función de la escuela.

3. Mañana **haremos** una fiesta en casa.

   Mañana celebraremos una fiesta en casa.

73 **¿Significa lo mismo?**

▶ Lee el texto y copia las palabras que signifiquen lo mismo.

> **Actividades en las cuevas**
> En algunas cavernas es posible hacer una excursión en barco porque el río continúa su curso por la cueva. Estos viajes usando una embarcación son factibles solo en esos casos. Pero no todas las grutas tienen ríos navegables. Otra posibilidad es hacer una gira a pie por dentro de la caverna. Sin embargo, no siempre la experiencia es viable, a veces las paredes son demasiado empinadas y no se puede caminar.

caverna   cueva, gruta

excursión   viaje, gira

barco   embarcación

posible   factible, viable

▶ Escribe algunos nombres para cada categoría.

barcos   buque , galeón, yate, catamarán

plantas   rosa, cedro, sauce, pino

peces   trucha, salmón, espada, sardina

74 **Una bonita excursión**

▶ Escribe un texto sobre alguna excursión que hayas hecho evitando repeticiones.

   Una vez hice *canopy* en Costa Rica. ¡Es un deporte muy divertido! Puedes

   practicarlo en medio de la naturaleza. Los paisajes costarriqueños son muy

   bonitos. Me encantaron.

PUERTO RICO Y EL CARIBE

La historia del mar Caribe es muy compleja e interesante.

75 **Las Antillas**

▶ Observa el mapa y completa el texto.

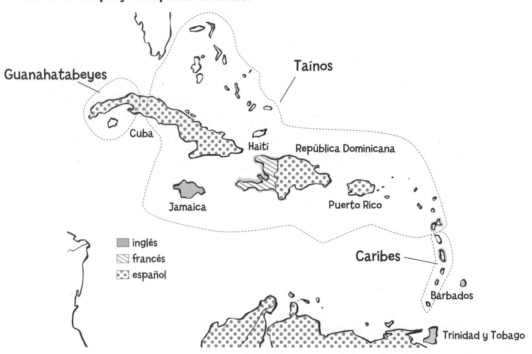

En las Antillas vivían etnias muy diferentes. En el extremo occidental de Cuba

vivían los _guanahatabeyes_. Los caribes vivían en las islas situadas más

al _____este_____. El centro del archipiélago lo ocupaban los _____taínos_____.

Las islas fueron colonizadas por los españoles, los franceses y los ingleses.

Hoy se habla español en muchos países como _____Cuba_____, **República Dominicana**

y __Puerto Rico__. También se habla _____francés_____ en Haití e inglés

en _____Jamaica_____ o en __Trinidad y Tobago__, la isla más oriental de las

Antillas.

EL YUNQUE: EL BOSQUE NACIONAL DEL CARIBE

El Yunque es un bosque lluvioso situado en el norte de la isla de Puerto Rico, en la sierra de Luquillo. Sus puntos más altos se sitúan a mil metros sobre el nivel del mar. El bosque tiene una gran biodiversidad: en él crecen miles de plantas diferentes y viven animales que no se encuentran en ningún otro lugar, como la cotorra puertorriqueña.

Para los indios taínos este lugar era la morada sagrada de Yukiyú, una de sus divinidades. Creían que Yukiyú, el dios del Bien, reinaba desde su trono en lo alto del bosque, observando la isla y protegiendo a sus habitantes. Por eso, llamaron al bosque *yuké*, que significa *tierra alta blanca*. Los españoles confundieron esta palabra con la palabra española *yunque* y así llamaron al bosque. Todavía hay grabados y dibujos taínos en las rocas de los arroyos del bosque.

76 ¿Realidad o creencia?

▶ Indica si las siguientes afirmaciones se refieren a la realidad o son creencias taínas.

	REALIDAD	CREENCIA
1. El Yunque es el hogar de muchas plantas y animales.	✓	
2. El Yunque es el hogar de Yukiyú.		✓
3. Los taínos grabaron dibujos en las piedras del bosque.	✓	
4. El trono de Yukiyú está en lo alto de El Yunque.		✓

77 Quiere decir...

▶ Elige la mejor definición para cada palabra.

biodiversidad
- ☑ variedad de especies vivas en un medio ambiente.
- ☐ variedad de animales en un medio ambiente.

sagrado
- ☐ que cree en una divinidad.
- ☑ que merece adoración porque está asociado a un dios.

78 Un hogar para los dioses

▶ Responde. Si escribieras una leyenda sobre tu país, ¿qué lugar elegirías para ser la morada de un dios? ¿Por qué?

Soy de Guatemala y elegiría el volcán Atitlán porque es impresionante, está alto y da un poco de miedo.

LA LENGUA TAÍNA

En Puerto Rico aún viven indios **taínos**. Los taínos habitaban la isla cuando llegaron los españoles. Hablaban la lengua taína.

Al relacionarse con los indígenas, los españoles conocieron nuevos seres, objetos y realidades, y adoptaron las palabras taínas que los designaban.

79 Palabras taínas

▶ **Elige la palabra que corresponde a cada definición.**

1. Parrilla que se usa para asar comida al aire libre.
   - ☑ barbacoa ☐ horno ☐ chimenea

2. Redes colgantes de algodón que, amarradas a dos árboles, se usan para dormir.
   - ☐ tumbona ☐ columpio ☑ hamaca

3. Viento fuerte que gira en remolinos.
   - ☑ huracán ☐ tormenta ☐ chaparrón

4. Reptil semejante al cocodrilo aunque de menor tamaño.
   - ☑ caimán ☐ escorpión ☐ dinosaurio

5. Embarcación estrecha de una pieza sin diferencia entre poa y propa.
   - ☐ balsa ☑ canoa ☐ velero

6. Cereal de grandes granos amarillos y hojas verdes.
   - ☐ arroz ☐ trigo ☑ maíz

▶ **Escribe una breve historia utilizando palabras taínas.**

ANSWERS WILL VARY

El cacique Caonao estaba descansando en su hamaca cuando comenzó el huracán. Los hombres amarraron las canoas y uno de ellos vio un camión que se caía por un terraplén. Todos se refugiaron en los bohíos donde había reservas de maíz y yuca, hasta que paró de llover.

LAS PALABRAS QUE VIAJARON DE AMÉRICA A EUROPA

Cuando los españoles llegaron a América, encontraron un mundo distinto del suyo. Había animales y flores que no conocían y costumbres diferentes de las suyas. Para hacer llegar este mundo nuevo a Europa, escribían cartas, crónicas y tratados con extensas descripciones de las novedades que iban conociendo.

El cronista fray Bartolomé de las Casas.

Algunas palabras de los indígenas llegaron al español porque los cronistas las utilizaron para explicar la nueva realidad. Así, un cronista indica: «Hay en la mar unos peces con la boca en el derecho de la barriga, con muchos dientes, que los indios llaman *tiburones*». Otro señala: «A estas tempestades del aire las llaman *huracanes*».

En ocasiones, los españoles consideraban que lo que veían era difícil de creer, así que lo describían comparándolo con elementos ya conocidos en Europa y ensalzándolo. Así describe un cronista el cultivo de las batatas: «Cavan también de la tierra unas raíces que nacen naturalmente, y los indígenas llaman *batatas*. De cualquier modo que se aderecen, asadas o cocidas, no hay pasteles ni ningún otro manjar de más suavidad y dulzura».

80 Las palabras viajeras

▶ Indica si las siguientes afirmaciones son ciertas (C) o falsas (F).

1. Toda la flora y la fauna de América era conocida por los españoles.　　C　**Ⓕ**
2. Los españoles inventaron palabras para nombrar las cosas que no conocían.　　C　**Ⓕ**
3. Los españoles daban testimonio del Nuevo Mundo por escrito.　　**Ⓒ**　F
4. Los españoles pensaban que lo que veían era increíble en Europa.　　**Ⓒ**　F
5. Los españoles alababan las cosas que iban conociendo en América.　　**Ⓒ**　F
6. Los indígenas hablaban español, pero tenían algunas palabras distintas.　　C　**Ⓕ**

81 ¿Por qué lo hacían?

▶ Elige la respuesta correcta.

- Los españoles escribían a Europa…
  - ☑ describiendo minuciosamente lo que veían para informar a la gente.
  - ☐ describiendo exageradamente lo que veían para suscitar envidia.

- En algunos casos, los cronistas utilizaban las mismas palabras que los indígenas…
  - ☑ porque ellos no tenían palabras para nombrar esas realidades.
  - ☐ porque les gustaban las palabras que utilizaban los indígenas.

PUERTO RICO Y LOS ESTADOS UNIDOS

Las contribuciones de los puertorriqueños a la vida y a la cultura de la Unión son muy variadas. Algunos ejemplos de personas famosas de origen puertorriqueño son el astronauta **Joseph M. (Joe) Acaba** o la cantante **Jennifer López.**

82 **Latinos famosos**

▶ Busca en la sopa los nombres de tres cantantes (vertical) y de tres deportistas (horizontal) de origen puertorriqueño.

B	E	N	I	C	I	O	D	E	L	M	T	O	R	O	C	S
A	N	L	I	S	A	F	E	R	N	A	N	D	E	Z	H	C
H	E	Z	N	A	C	I	O	E	N	R	S	O	A	N	A	G
E	R	M	A	N	E	N	P	U	E	C	R	N	T	O	Y	R
C	A	R	L	O	S	D	E	L	G	A	D	O	I	C	A	O
E	S	U	N	A	C	T	O	R	D	N	E	M	M	U	N	C
H	A	F	A	M	A	P	O	R	S	T	U	A	P	A	N	P
E	L	E	N	L	A	P	E	L	I	H	C	R	U	L	E	A
E	L	M	A	R	I	T	Z	A	C	O	R	R	E	I	A	C
H	E	F	U	E	G	A	L	A	R	N	D	O	N	A	D	O
C	O	N	E	L	P	R	E	M	I	Y	O	O	S	C	A	R

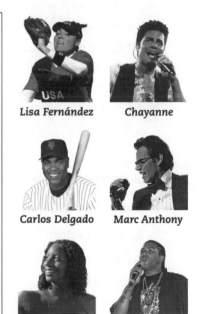

Lisa Fernández — Chayanne

Carlos Delgado — Marc Anthony

Maritza Correia — Don Omar

▶ Forma una frase sobre otro puertorriqueño famoso con las letras sobrantes.

Benicio del Toro Sánchez nació en San Germán en Puerto Rico. Es un actor de mucha fama. Por su papel en la película *El Che* fue galardonado con el premio Óscar.

83 **También son conocidos...**

▶ Responde. ¿Qué otros puertorriqueños famosos conoces? ¿A qué se dedican?

Ricky Martin. Es cantante.

Dayana Torres. Es modelo y actriz.

84 **Los *nuyoricans***

▶ **Lee y elige la respuesta más adecuada.**

> La palabra *nuyorican* fue creada en 1975. Está formada a partir de *New York* y *Puerto Rican*.

- ¿A quiénes crees que se puede aplicar el término *nuyorican*?

  ☐ A los puertorriqueños que por vivir en Nueva York solo se sienten neoyorquinos.

  ☑ A los puertorriqueños que viven o han nacido en Nueva York, pero que no se sienten ni totalmente puertorriqueños ni plenamente estadounidenses.

- ¿Qué elementos crees que caracterizan la cultura nuyoricana?

  ☑ Uso del español, del inglés y del *spanglish*; reivindicación de una identidad propia.

  ☐ Rechazo de la cultura puertorriqueña y uso de las formas culturales estadounidenses.

85 **Textos nuyoricanos**

▶ **Lee y responde.**

> **Artistas nuyoricanos**
>
> El Nuyorican Movement es un movimiento intelectual al que pertenecen poetas, escritores, músicos y artistas nuyoricanos. Uno de los temas favoritos de estos artistas es la experiencia de ser puertorriqueño en Nueva York. La canción nuyoricana más famosa es, probablemente, *Oye cómo va*, de Tito Puente. Los artistas nuyoricanos se reúnen con frecuencia en el Nuyorican Poets Café de Nueva York fundado en 1973.

Tito Puente

- ¿De qué habla la literatura nuyoricana?

  <u>Habla de la experiencia de ser puertorriqueño en Nueva York.</u>

- ¿Qué es el Nuyorican Poets Café?

  <u>El lugar de reunión de los artistas nuyoricanos.</u>

▶ **Escribe un posible argumento para una novela nuyoricana.**

<u>Una familia puertorriqueña que se muda a Nueva York a comenzar una nueva vida y va narrando sus experiencias.</u>

DESAFÍO 1

86 **Mi casa es tu casa**

▶ Relaciona cada palabra de la columna A con una definición de la columna B.

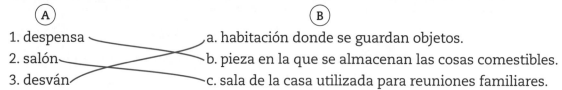

(A)

1. despensa
2. salón
3. desván

(B)

a. habitación donde se guardan objetos.
b. pieza en la que se almacenan las cosas comestibles.
c. sala de la casa utilizada para reuniones familiares.

87 **Acentuación de las palabras agudas**

▶ Escribe cuatro palabras agudas con tilde y cuatro sin tilde.

 león, café, limón, país / pared, subir, girasol, escolar

▶ Responde. ¿Cuándo llevan tilde las palabras agudas?

 Cuando terminan en *n*, *s* o vocal.

DESAFÍO 2

88 **Quien fue a Sevilla perdió su silla**

▶ Relaciona cada palabra con el elemento del que forma parte.

(A)

1. cajón
2. estante
3. bisagra
4. grifo

(B)

a. estantería
b. puerta
c. lavabo
d. cómoda

▶ Completa las oraciónes con palabras de la familia de *mueble*.

1. A mí me gustaría _____ amueblar _____ de nuevo mi casa.

2. Quiero ir a una _____ mueblería _____ a comprar dos sillas.

89 **Acentuación de las palabras llanas**

▶ Escribe tilde donde corresponda.

bíceps	césped	bosque	imagen	rebanada	difícil	justo
hostil	huésped	pronto	árbol	dólar	túnel	móvil

▶ Responde. ¿Cuándo se acentúan las palabras llanas?

 Cuando terminan en consonante distinta de *n* o *s*.

DESAFÍO 3

90 **Limpiar, limpiar, limpiar sin parar**

▶ Escribe una definición de esta acción indicando con qué objeto se hace.

Fregar: <u>limpiar una casa restregándola con un estropajo, un cepillo o una bayeta.</u>

91 **Acentuación de las palabras esdrújulas y sobresdrújulas**

▶ Escribe tres palabras esdrújulas y tres sobresdrújulas.

Esdrújulas: <u>lámpara, semáforo, helicóptero</u>

Sobresdrújulas: <u>acércamelo, entrégaselo, recuérdamelo</u>

DESAFÍO 4

92 **Ratos de ocio: pasarla en grande**

▶ Escribe palabras que signifiquen lo contrario.

1. aburrido <u>entretenido</u>   2. descansado <u>cansado</u>   3. relajante <u>estresante</u>

93 **Acentuación de las palabras monosílabas**

▶ Escribe tilde donde corresponda.

• De ti depende que te dé la oportunidad de tomar el té con tu hermana.

• Di que sí a mi propuesta si quieres que te invite.

94 **La lengua taína**

▶ Escribe tres palabras taínas.

<u>huracán, hamaca, canoa</u>

95 **Puerto Rico y los Estados Unidos**

▶ Responde. ¿Qué es el Nuyorican Movement y cuál es su tema principal?

<u>Movimiento intelectual al que pertenecen poetas, escritores, músicos</u>

<u>y artistas nuyoricanos. Su tema principal es la experiencia</u>

<u>de ser puertorriqueños en Nueva York.</u>

1 **¿Qué países? ¿De dónde?**

▶ **Resuelve el crucigrama.**
  ¡Atento a las definiciones!

HORIZONTALES

1. Un país de costa muy sabrosa.
2. Un país con muchas profundidades.
3. El país protagonista de la unidad.
4. Un país de sombreros famosos.
5. En este país todos están salvados.
6. Un país sin cara ni agua.

VERTICALES

A. Zona o subcontinente donde están estos países.

```
                    A
                    C
                    E
                    N
                    T
1 C O S T A R I C A
        2 H O N D U R A S
      3 G U A T E M A L A
  4 P A N A M Á
            5 É L S A L V A D O R
  6 N I C A R A G U A
                    I
                    C
                    A
```

2 **Verdades y mentiras sobre Centroamérica**

▶ **Indica si las siguientes afirmaciones son ciertas (C) o falsas (F).**

1. En Centroamérica hay al menos seis países hispanohablantes. Ⓒ F
2. Centroamérica está entre el océano Pacífico y el océano Índico. C Ⓕ
3. Guatemala está en Centroamérica. Ⓒ F
4. Panamá, Honduras y Puerto Rico son países de Centroamérica. C Ⓕ
5. Centroamérica está al norte de México. C Ⓕ
6. Chichicastenango y Antigua son ciudades de Guatemala. Ⓒ F

3 ¿Conoces Guatemala?

▶ **Responde.**

1. ¿Conoces Centroamérica? ¿Qué lugares conoces?

   Sí, conozco Honduras y Guatemala.

2. ¿Conoces Guatemala? ¿Qué lugares conoces?

   Sí, conozco Antigua y la Ciudad de Guatemala.

3. ¿Conoces a alguien que viva o haya vivido en Centroamérica? ¿A quién?

   Sí, mis abuelos vivieron en Honduras.

4. ¿Conoces a alguien que viva o haya vivido en Guatemala? ¿A quién?

   Sí, una prima de mis padres.

4 ¿Qué sabes de Guatemala?

▶ **Escribe un párrafo sobre lo que sepas de Guatemala. Puedes comentar cuestiones como estas:**

- Dónde está el país.

- Qué ciudades importantes tiene.

- Cómo es el país.

- Qué atractivos tiene.

   Guatemala es un país centroamericano que tiene fronteras con México al norte, al este con Belice y al suroeste con Honduras y El Salvador. Entre sus ciudades importantes destacan la Ciudad de Guatemala, la capital, y Antigua Guatemala. Guatemala es un país de una gran diversidad y belleza natural. Hay montañas, playas y volcanes. Su cultura es muy peculiar, procede de la herencia maya y la colonización española. Tiene hermosos y coloridos mercados, muy atractivos para los turistas.

ANTIGUA GUATEMALA:
MUCHO QUE VER Y QUE COMPRAR

Antigua Guatemala es un lugar maravilloso para descansar y para comprar cosas curiosas. En esta ciudad, la creatividad de los artesanos no tiene límites.

Aquí puedes encontrar artículos para el hogar, utensilios de cocina, vasos de vidrio soplado o platos de cerámica, así como adornos. Estos pueden ser figuras de barro sencillas o verdaderas obras maestras trabajadas en materiales como el jade, el mármol o la serpentina.

En Antigua también se venden muchos textiles. Los más elaborados se encuentran en *boutiques*. En las tiendas de textiles encontrarás cojines, cubrecamas, manteles, vestidos, pantalones y huipiles.

Otra alternativa de compra en la Ciudad de las Perpetuas Rosas son los muebles de hierro forjado. El trabajo esmerado de quienes los fabrican y los audaces diseños que hay en el mercado son muy famosos.

Estas son algunas sugerencias por si quieres ir de compras en Antigua, pero también puedes hacer otras cosas: caminar por sus calles, disfrutar su clima fresco, probar sus exquisitos dulces típicos… ¡y comprarte algunos para saborear en casa!

Fuente: http://www.viajeaguatemala.com. Prensa Libre. Texto adaptado.

5 **¿Qué podemos hacer en Antigua?**

▶ Indica si las siguientes afirmaciones son ciertas (C) o falsas (F).

1. Antigua Guatemala es un lugar adecuado para ir de compras.   Ⓒ   F

2. En Antigua solo se venden adornos caros.   C   Ⓕ

3. Los textiles más elaborados se venden en *boutiques*.   Ⓒ   F

4. Los muebles diseñados en Antigua son muy tradicionales.   C   Ⓕ

5. Antigua es la Ciudad de las Perpetuas Rosas.   Ⓒ   F

6. Hay multitud de actividades para hacer en Antigua.   Ⓒ   F

6 **¿Cómo son los productos de Antigua?**

▶ Elige la afirmación que transmite la misma idea.

• La creatividad de los artesanos no tiene límites.

☑ Los artesanos son muy imaginativos y crean muchos diseños diferentes.

☐ Los artesanos repiten siempre los mismos diseños.

• El trabajo de los artesanos es esmerado.

☑ Los artesanos trabajan con mucho cuidado y dedicación.

☐ Los artesanos tienen un trabajo muy duro.

7 **¿Qué significa?**

(ANSWERS WILL VARY)

▶ Haz una lista de las palabras del texto que no entiendas e intenta explicar su significado.

Puedes adivinar lo que significa cada palabra a través del texto o buscarla en un diccionario.

Serpentina: piedra de color verdoso casi tan dura como el mármol.

Cubrecama: colcha para cubrir la cama.

Hierro forjado: hierro que está trabajado a golpes de martillo.

8 **¿Qué haría yo en Antigua?**

(ANSWERS WILL VARY)

▶ Responde. ¿Qué comprarías en Antigua? ¿Por qué?

Textiles, porque seguro que son muy bonitos y están bien hechos.

VÁMONOS DE COMPRAS

En el **centro comercial** La Galaxia hay **comercios** de todo tipo: **boutiques**, **zapaterías**, **joyerías** y **perfumerías**.

También encontrarás una **librería** y un **quiosco**, algunos restaurantes y una **tienda de regalos**.

Está **abierto** todo el año.

9   Es lo mismo

▶ **Sustituye las palabras destacadas por otras del mismo significado.**

✓ rebajar	✓ adquirir	✓ dependiente
✓ comprador	✓ descuento	✓ importe

El nuevo centro comercial

El nuevo centro comercial de Antigua fue inaugurado ayer, con grandes **rebajas**. El **precio** de los artículos había sido **reducido** a la mitad. ¡Los **clientes** se mostraron dispuestos a **comprar** todo tipo de productos y los **vendedores** estaban muy contentos! La inauguración fue un auténtico éxito.

El nuevo centro comercial de Antigua fue inaugurado ayer, con grandes descuentos. El importe de los artículos había sido rebajado a la mitad. ¡Los compradores se mostraron dispuestos a adquirir todo tipo de productos y los dependientes estaban muy contentos! La inauguración fue un auténtico éxito.

10   Parecido, pero no idéntico

▶ **Relaciona cada palabra con una definición.**

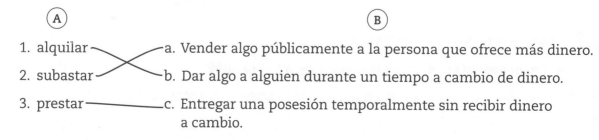

Ⓐ

Ⓑ

1. alquilar   a. Vender algo públicamente a la persona que ofrece más dinero.

2. subastar   b. Dar algo a alguien durante un tiempo a cambio de dinero.

3. prestar   c. Entregar una posesión temporalmente sin recibir dinero a cambio.

11 ¿Quién vende y dónde?

▶ Observa y completa la tabla.

Producto	Dependiente	Establecimiento
fruta	frut-*ero*	frut-*ería*
libro	librero	librería
pescado	pescadero	pescadería
joya	joyero	joyería
pastel	pastelero	pastelería

12 ¡Qué desastre de tienda!

▶ Escribe el número de cada elemento del dibujo junto a la palabra que le corresponde.

probador ___1___   mostrador ___6___   vitrina ___4___

caja ___5___   maniquí ___3___   perchero ___2___

13 Yo también voy de compras

ANSWERS WILL VARY

▶ Responde. ¿Qué tipo de tiendas te gustan más? ¿Por qué?

Mis tiendas preferidas son las de música, porque además de CD hay pósters,

chapas, camisetas y otras cosas relacionadas con mis cantantes favoritos.

EL SONIDO G SUAVE

El sonido **G** suave se escribe así:

• Con **g** cuando va delante de las vocales **a**, **o**, **u**: **ga**, **go**, **gu**.

• Con **gu** cuando va delante de las vocales **e**, **i**: **gue**, **gui**.

sonido **G**

g — gato — gorro — guante

gu — guepardo — guitarra

---

14 **¿Cómo se escribe?**

▶ **Completa con g o con gu.**

1. archipiéla_g_o
2. _gu_irnalda
3. fue_g_o
4. al _gu_ien

5. _gu_iño
6. abo_g_ado
7. ar_g_umento
8. estóma_g_o

9. _gu_errear
10. _g_usano
11. _g_ula
12. án_g_ulo

13. grie_g_o
14. hambur_gu_esa
15. va_g_a
16. _g_oma

---

15 **Faltan palabras**

▶ **Completa con formas de los siguientes verbos.**

✔ jugar   ✔ desplegar   ✔ arrugar   ✔ rasgar   ✔ madrugar
✔ llegar   ✔ encargar   ✔ descargar   ✔ colgar   ✔ negar

> **En la tienda de mis padres**
>
> Mis padres tienen una tienda en el centro de la ciudad. Yo juego
> a menudo en ella. El lunes pasado mi padre **madrugó** mucho
> para abrir la tienda. Estuvo **descargando** mercancía toda la mañana.
> Yo **llegué** justo cuando él estaba **encargando**
> material por teléfono. No lo **niego**, fui un imprudente:
> me **colgué** de unas cortinas que él había **desplegado**
> y, no solo las **arrugué**, sino que las **rasgué**.

16 **¿Pequeño o pequeñito?**

En español, añadimos *-ito* o *-ita* a una palabra para formar un diminutivo cariñoso.

▶ **Escribe los diminutivos de las siguientes palabras.**

Presta atención a la ortografía.

1. abrigo _____abriguito_____   5. ombligo _____ombliguito_____

2. hormiga _____hormiguita_____   6. amigo _____amiguito_____

3. manga _____manguita_____   7. tortuga _____tortuguita_____

4. barriga _____barriguita_____   8. migas _____miguitas_____

▶ **Escribe una breve historia con algunos de los diminutivos que has formado.**

Pablo y su amiguito alimentaron un pajarito con miguitas de pan.

El pajarito cantó contento con la barriguita llena.

17 **¿Qué será, será?**

▶ **Escribe la palabra que corresponde a cada definición.**

1. Es el árbol que da higos. _higuera_

2. Es un músculo blando de la boca. _lengua_

3. Es la vivienda de las hormigas. _hormiguero_

4. Es un bicho que se esconde en las manzanas. _gusano_

▶ **Escribe una oración con una de las palabras anteriores.**

Los hormigueros están formados por un conjunto de túneles.

18 **Con g de gato**

▶ **Completa con g o con gu.**

> **El gato de Olga**
>
> A Ol_g_a no le _g_ustan los _g_atos. Aun así, _Gu_illermo le re_g_aló un _g_ato
> en a_g_osto. Ahora a Ol_g_a le _g_ustan al_g_o más los _g_atos.
> Su _g_ato es suave como el al_g_odón, aunque tiene las _g_arras afiladas.
> Tiene el rabo lar_gu_ísimo y lo mueve con mucha ele_g_ancia. Ju_g_ar con él
> es a_g_otador y no es muy ami_g_able, pero a Ol_g_a no le importa.
> Es su _g_ato y su ami_g_o.

CLASIFICAR

En las tiendas de **textiles** *encontrarás cojines, cubrecamas, manteles, vestidos, pantalones y huipiles.*

Algunas palabras sirven para **clasificar**, es decir, **organizan realidades en grupos**, en función de algún criterio determinado.

19 Cada oveja con su pareja

▶ **Relaciona cada grupo de objetos con la palabra que los engloba.**

Ⓐ

1. vidrio, lana, madera, mármol, hierro forjado
2. tradicional, vanguardista, moderno, sencillo, atrevido
3. grecas, figuras humanas, lentejuelas, flores
4. agujas, destornillador, lima, sierra, martillo

Ⓑ

a. herramientas
b. adornos
c. materiales
d. estilos

20 Clasificamos la información

▶ **Lee y clasifica.**

La compra de las hermanas Berlanga

Marisa Berlanga compra fruta y verdura en la frutería del centro comercial. Luisa prefiere hacer la compra en el mercado. En la pescadería compra mariscos: gambas y langostas, y también pescado para congelar. Susana hace la compra en el supermercado. Le encanta la carnicería. Allí compra carne de pollo y filetes de cerdo para almacenar. Marisa compra uvas, cerezas y peras para comer en el trabajo y verduras frescas, como espinacas y acelgas, para comer en casa.

lugares	centro comercial, mercado, supermercado
tiendas	frutería, pescadería, carnicería
productos	frutas, verduras, mariscos, pescado, carne
motivos	para congelar, para almacenar, para comer en el trabajo

21 Ordenamos animales

▶ Escribe las palabras del texto que se usan para clasificar y pon ejemplos.

> **El reino animal**
>
> El reino animal es uno de los reinos de la naturaleza, como el reino vegetal
> o el reino de los hongos. Hay dos tipos de animales: los vertebrados
> y los invertebrados. Los vertebrados se dividen en cinco clases: los peces,
> los anfibios, los reptiles, las aves y los mamíferos. Dentro de cada clase hay
> distintos órdenes; por ejemplo, los primates y los cetáceos son órdenes
> de los mamíferos. Los órdenes se organizan en familias. Las ballenas y los delfines
> son familias de los cetáceos y los homínidos son una familia de los primates.

reinos de la naturaleza	animal, vegetal, de los hongos
tipos de animales	vertebrados, invertebrados
clase de vertebrados	peces, anfibios, reptiles, aves, mamíferos
órdenes	primates, cetáceos
familias	ballenas y delfines, homínidos

22 Paso a paso

▶ Observa el esquema y escribe un texto explicativo a partir de él.

ANSWERS WILL VARY

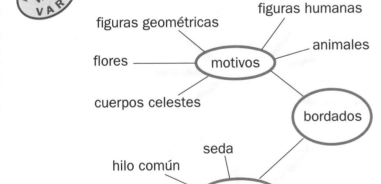

figuras humanas
figuras geométricas
flores
animales
cuerpos celestes
motivos

bordados

seda
hilo común
materia
abalorios o lentejuelas
oro y plata

El bordado es una labor de adorno
hecha con diversos materiales
y motivos. Los materiales utilizados
pueden ser hilo común, seda, abalorios
o lentejuelas, oro y plata. Los motivos
del bordado también pueden ser muy
diversos, como figuras humanas,
flores, figuras geométricas, animales
y cuerpos celestes.

GUATEMALA, CON TU HUIPIL

Guatemala, con tu huipil
de árboles perezosos que cabecean muertos de sueño,
de animalitos del aire que te bordan azul-celestemente su vuelo,
de animalitos de tierra que en tu piel te dejan tirados
　sus pasos cuando huyen por los montes.

Guatemala, con tu huipil de lagos y mercados.
De mercados hundidos en los lagos donde se cambian
celajes[1] por peces, peces por chumpipes[2], chumpipes por diversas
　frutillas y pepitas.

Guatemala, con tu huipil de lluvias que no terminan nunca.
De lluvias que no terminan nunca porque se te han quedado
　dormidas en tus ojos tristes que sufren.

¡Oh, Guatemala, palomita, cenzontle[3].
Con tu huipil de sangre torturada-ametrallada.
Bajo la sombra de todos los infinitos con garras…!

RAFAEL SOSA. Selección.

---

1. Nubes de varios colores.
2. Pavos.
3. Pájaro americano de canto melodioso.

23 Guatemala, ¿qué tienes en el huipil?

▶ El autor piensa que Guatemala es un país frágil que ha sufrido. Explica en qué partes del texto se puede ver esa idea.

ANSWERS WILL VARY

Tus ojos tristes que sufren.

Con tu huipil de sangre torturada-ametrallada.

Bajo la sombra de todos los infinitos con garras.

24 Guatemala tiene un huipil

▶ Responde.

ANSWERS WILL VARY

1. ¿Por qué crees que el autor utiliza el huipil para simbolizar a Guatemala?

Porque el huipil es un traje típico de Gutemala.

2. ¿Qué aspectos del país ha seleccionado el autor para incluir en su poema?

Sus paisajes, su historia, su cultura.

3. ¿Por qué crees que ha hecho esa selección?

Porque para él esto es lo que distingue y representa a su país.

25 Así es Guatemala

▶ Dibuja aquí el huipil de Guatemala de acuerdo con el texto y rotula cada elemento.

ANSWERS WILL VARY

ANDE YO CALIENTE Y RÍASE LA GENTE

El **huipil** forma parte del **traje** tradicional guatemalteco femenino. Este **atuendo** incluye también una **falda larga** y **ceñida**, un **cinturón** y un **tocado**.

26 **Ordenamos el armario**

▶ Clasifica las siguientes palabras. ¿Qué prendas usarías en cada ocasión?

✔ sandalias   ✔ batín   ✔ camiseta   ✔ corbata
✔ pijama   ✔ camisa   ✔ bermudas   ✔ camisón
✔ zapatillas   ✔ bikini   ✔ americana   ✔ esmoquin

para una celebración	americana, camisa, esmoquin, corbata
para la playa	sandalias, bikini, camiseta, bermudas
para casa	batín, pijama, zapatillas, camisón

27 **¿Quién va vestido así?**

▶ Escribe el nombre del personaje del dibujo que corresponde con cada texto.

1. Lleva la camisa remangada, una boina oscura, un pañuelo atado al cuello, pantalones largos y alpargatas.

   Es _Felipe._ .

2. Lleva pantalones ajustados, zapatos con hebillas, un chaleco y una chistera oscura.

   Es _Juan._ .

3. Lleva una chaqueta de lana desabrochada, un pantalón corto, un sombrero de paja y mocasines.

   Es _Rafael._ .

Felipe

Juan

Rafael

28 **No todo son zapatos**

▶ Escribe cada palabra de la familia junto a la definición que le corresponde.

| zapato | • zapatilla | • zapatazo | • zapatero |

1. Persona que repara el calzado. **zapatero**

2. Calzado ligero y flexible que se usa para estar en casa. **zapatilla**

3. Golpe dado con un zapato. **zapatazo**

29 **Las partes de una prenda**

▶ Escribe cada palabra donde corresponda.

ojal   cremallera   puño   solapa
botón   manga   bolsillo   hombrera

1. **manga**

2. **puño**

3. **botón**

4. **cremallera**

5. **bolsillo**

6. **ojal**

7. **hombrera**

8. **solapa**

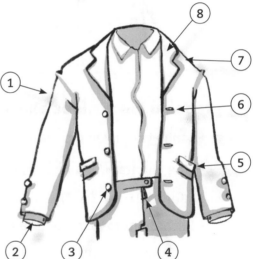

30 **Un atuendo extravagante**

▶ Escribe un texto detallando qué te pondrías para una fiesta de disfraces si tuvieras toda la ropa del mundo.

Creo que me disfrazaría de mago. Para eso, me pondría unos pantalones negros largos y un jersey de lana oscura. Además, encima de todo me pondría una túnica muy larga y de algún color brillante. También me pondría un gorro terminado en punta y unas botas puntiagudas.

ACENTUACIÓN DE LOS INTERROGATIVOS Y DE LOS EXCLAMATIVOS

Los interrogativos y los exclamativos son palabras que introducen oraciones o frases interrogativas y exclamativas. Todas estas palabras llevan tilde:

qué

quién, quiénes

cuál, cuáles

cuánto, cuánta, cuántos, cuántas

cuándo

dónde

cómo

---

31 **¡Robo en los grandes almacenes!**

▶ **Escribe las preguntas correspondientes a los siguientes testimonios.**

- Una clienta: «Alguien robó en los grandes almacenes».

  ¿Qué ha pasado?

- El charcutero: «Un hombre muy bajito».

  ¿Quién ha sido?

- Los vecinos: «Ayer, a las tres de la tarde».

  ¿Cuándo ha pasado?

- Una pareja de clientes: «En la sección de electrodomésticos».

  ¿Dónde ha sido?

- La cajera: «Cuatro: un microondas y tres batidoras».

  ¿Cuántos electrodomésticos se han robado?

▶ **Ahora, escribe el informe que hizo el detective.**

Al preguntar qué ha ocurrido, una clienta me dice que alguien... **robó en los almacenes. El charcutero me dijo que ha sido un hombre muy bajito. Los vecinos dicen que todo sucedió ayer a las tres de la tarde. Ha sido en la sección de electrodomésticos y según la cajera se han robado un microondas y tres batidoras.**

32 **¡Qué imagen más extraña!**

▶ Escribe exclamaciones sobre los aspectos llamativos de estos dibujos.

¡Cuántos peces hay!

¡Qué alto es ese chico!

¡Qué pequeña es la casa!

33 **¡Necesito más información!**

▶ Escribe las preguntas que harías para informarte sobre este anuncio.

¡Vive una gran aventura
al aire libre en Chichicastenango!

¿Cuándo es el evento?

¿A qué hora es?

¿Qué van a hacer allí?

¿Cómo debo ir vestido?

34 **Hagamos una entrevista**

▶ Prepara una entrevista con las preguntas que le harías al cantante guatemalteco Ricardo Arjona para saber más cosas sobre él.

¿Cuándo comenzó a cantar?

¿Cuáles son sus canciones preferidas?

¿Dónde tendrá lugar su próximo concierto?

¿Quién o qué lo inspira para componer?

¿Qué le quiere decir a sus fans?

UN POEMA

El texto *Guatemala, con tu huipil* (pág. 118) es un poema. En él, el autor utiliza palabras y oraciones expresivas y sugerentes para hablar sobre Guatemala.

> *Guatemala, con tu huipil de **lluvias que no terminan nunca**.*
> *De lluvias que no terminan nunca porque **se te han quedado dormidas***
>   *en tus **ojos tristes** que sufren.*

Un **poema** es una **composición** escrita en **verso**. En los poemas, los escritores intentan dar expresividad y forma artística a sus ideas. Para conseguirlo, utilizan recursos como las comparaciones, las imágenes y las metáforas.

– Con la **comparación**, el autor establece semejanzas entre seres, hechos o cualidades.

  Ejemplo: *Abrir un paraguas es como disparar contra la lluvia.*

– Con la **imagen**, el autor identifica seres, hechos o cualidades.

  Ejemplo: *Las pasas son uvas octogenarias.*

– Con la **metáfora**, el autor nombra a un ser, hecho o cualidad con el nombre de otro.

  Ejemplo: *El agua se suelta el pelo en las cascadas.*

---

35   **Todo comparado**

ANSWERS WILL VARY

▶ **Escribe comparaciones imaginativas.**

¿A qué se parecen?

El sol es como un hombre gordo que sonríe.

El sol parece un enorme huevo palpitante.

_____

Las nubes parecen motas de algodón.

La nube parece una señora con un collar.

_____

El árbol es como una casa para los pájaros.

Las frutas parecen una guirnalda.

_____

El búho es como un guardián que vela en la noche.

El murciélago parece un equilibrista.

_____

36 **Imágenes delirantes**

▶ Relaciona los elementos para construir imágenes.

Ⓐ   Ⓑ

1. La lagartija   a. una maleta que viaja por su cuenta.

2. El perfume   [es]   b. un paquete de ideas arrugadas.

3. El cerebro   c. el broche de las tapias.

4. El cocodrilo   d. el eco de las flores.

▶ Escribe las imágenes que has construido.

La lagartija es el broche de las tapias.

El perfume es el eco de las flores.

El cerebro es un paquete de ideas arrugadas.

El cocodrilo es una maleta que viaja por su cuenta.

37 **Es un sol**

▶ Escribe una descripción expresiva basada en imágenes. Hazlo así.

1. Piensa en la persona a la que quieres describir y responde las siguientes preguntas.

• Si fuera un ave, ¿qué ave sería?

Un gorrión.

• Si fuera una flor, ¿qué flor sería?

Una violeta.

• Si fuera un animal salvaje, ¿qué animal sería?

Un tigre.

2. Escribe la descripción de esa persona basándote en tus respuestas.

Ejemplo: Juan, eres el gorrión que alegra mi mañana.

Eres una violeta que me endulza los días y los llena de color. Pero cuando
te enfadas, eres un tigre, pensativo y furioso al mismo tiempo.

EL TEJIDO MAYA, EXPRESIÓN CULTURAL Y ARTÍSTICA

Cuando una tejedora maya se dispone a tejer, invoca al Ajaw (el dios creador) y le pide sabiduría para realizar bien su tarea. Ha aprendido el arte de alguna antepasada; tiene en la mente lo que va a tejer y no necesita saber leer ni escribir para describir con su telar leyendas completas. Tampoco necesita saber astronomía para plasmar el sol, la luna y las estrellas; ni saber de ecología para dar a conocer la profunda relación que tiene con la madre tierra.

El arte de tejer es muy complicado. Se asemeja a la labor de un arquitecto, que traza planos para una construcción. Así, al ensamblar el telar, la tejedora debe tener en su mente lo que va a hacer. Luego, al tejer, va plasmando sus esperanzas y sus sentimientos con sus propias manos.

La tradición textil maya es rica y variada. Hoy en día se manifiesta en la diversidad de trajes. Cada traje representa una comunidad: es una expresión cultural y artística.

El **huipil**, el **corte**, la **faja** y el **su't** son los símbolos de la identidad maya.

Soledad Icú Perén. Texto adaptado.

Huipil
Prenda de origen prehispánico usada por las mujeres mayas para cubrirse el torso.

Su't
Paño cuadrado con el que las mujeres se cubren la cabeza, los hombros o los brazos.

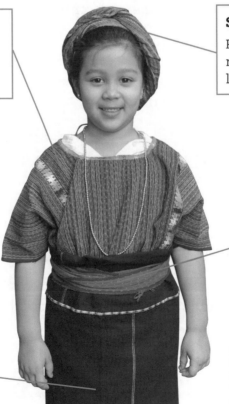

Faja
Cinturón que sostiene el corte. Varía en el ancho y en los colores.

Corte
Falda larga ajustada a la cintura.

Impreso con el permiso de
Museo Ixchel del Traje Indígena. Gta. Calle final, Zona 10 Centro Cultural UFM
Telefaxes: 2361 8081/82
www.museoixchel.org

Museo Ixchel del Traje Indígena. Textos adaptados.

126

38 **Verdades sobre el tejido maya**

▶ Indica si las siguientes afirmaciones son ciertas (C) o falsas (F).

1. La tejedora maya reza pidiendo sabiduría para tejer.   Ⓒ F

2. El huipil, el corte, la faja y el su't son prendas de vestir masculinas.   C Ⓕ

3. El arte de tejer se transmite entre las mujeres mayas.   Ⓒ F

4. Las tejedoras mayas deben tener conocimientos de ecología y astronomía.   C Ⓕ

5. Un tejido maya es expresión de los sentimientos de su tejedora.   Ⓒ F

6. Todas las comunidades mayas tienen el mismo traje típico.   C Ⓕ

39 **El proceso de tejer**

▶ Escribe la letra de cada imagen al lado de la fase del proceso maya de tejer que le corresponde.

Ⓐ   Ⓒ   Ⓑ   Ⓓ

• La tejedora maya reza al dios creador Ajaw.   ___A___

• La tejedora maya aprende el arte de tejer de sus antepasados.   ___D___

• La tejedora maya plasma en la labor sus sentimientos e ideas.   ___C___

• La tejedora maya planifica su obra antes de ponerse a tejer.   ___B___

▶ Ordena las fases del proceso.

1. ___D___   2. ___B___   3. ___A___   4. ___C___

40 **¿Qué es lo importante?**

▶ Elige la oración que mejor exprese la idea principal del texto.

☑ Para las comunidades mayas, tejer es una actividad cultural llena de significado.

☐ Tejer es una actividad difícil que los hombres mayas tienen prohibida.

☐ La única manifestación artística de las comunidades mayas son los tejidos.

DE PUNTA EN BLANCO

Me gustan las camisas **estampadas** y los pantalones **cortos**. No me gustan nada las chaquetas de **lana**. ¡Abrigan demasiado!

41 **¿Cómo es su ropa?**

▶ **Responde cada pregunta de acuerdo con las imágenes.**

Juan   Silvia   Rocío   Abel

1. ¿Juan lleva pantalones largos o pantalones cortos? <u>**Pantalones largos.**</u>

2. ¿Silvia lleva una camiseta estampada o de rayas? <u>**De rayas.**</u>

3. ¿Rocío lleva un vestido de lunares o liso? <u>**De lunares.**</u>

4. ¿Abel lleva una camiseta de manga larga o corta? <u>**De manga corta.**</u>

 ▶ **Dibuja.**

una camisa de cuadros   un pantalón de rayas   una camiseta estampada   unos zapatos de cordones

42 **El cajón del sastre**

▶ Ordena los siguientes elementos en la tabla.

✔ cuadros ✔ lana ✔ alfileres ✔ lunares
✔ agujas ✔ rombos ✔ algodón ✔ piel
✔ rayas ✔ seda ✔ tijeras ✔ dedal

MATERIALES TEXTILES	DIBUJOS EN LA TELA	INSTRUMENTOS
lana	cuadros	agujas
seda	rayas	alfileres
algodón	rombos	tijeras
piel	lunares	dedal

43 **¿Cómo deben vestirse?**

▶ Describe el atuendo que cada persona debe llevar en cada ocasión.

1. Carlos ha sido invitado a una boda muy formal.

   Esmoquin, camisa y corbata.

2. Gabriela quiere ir a la montaña un día muy lluvioso y frío.

   Abrigo, gorro, guantes, chubasquero y botas.

3. César y Juana van a presentar una gala benéfica en la televisión.

   César: americana, camisa y corbata.

   Juana: vestido, sandalias, un collar y una pulsera.

4. Teresa y sus hijos Nicolás y Sara van a la playa.

   Trajes de baño, bermudas, camisetas y sandalias.

44 **¿Cómo te gusta vestir?**

▶ Explica cuáles son tus prendas favoritas y cómo te gusta combinarlas.

   A mí me gustan mucho los pantalones vaqueros anchos y las camisetas
   de colores. Me pongo normalmente tenis o botas y un suéter de un solo color.

EL USO DE LAS MAYÚSCULAS

En español se escribe con letra inicial mayúscula:

MAYÚSCULA

- La palabra que da comienzo a una oración: *Compraré ropa.*
- Los nombres propios, ya sean de personas, lugares o divinidades: *María, Jaime, Florida, Antigua, Kukulkán.*
- Los nombres familiares y los apodos: *Chichi.*
- Los títulos de obras: *Hombres de maíz.*
- Los nombres de instituciones: *Museo Ixchel del Traje Indígena.*

En cambio, se escriben con letra inicial minúscula:

minúscula

- Los días de la semana: *lunes, miércoles, viernes.*
- Los meses del año: *marzo, abril, octubre.*
- Los idiomas: *español, inglés, francés.*
- Los adjetivos de nacionalidad: *guatemalteco, mexicano.*

45 Mayúsculas y minúsculas

▶ **Subraya las palabras que llevan mayúscula y completa.**

La región de Petén

<u>Petén</u> es una de las zonas más ricas de <u>Centroamérica</u>. <u>Tiene</u> recursos naturales y riquezas históricas, como la ciudad de <u>Tikal</u> o <u>Piedras Negras</u>. <u>La Fundación ProPetén</u> lleva a cabo muchos proyectos para la conservación de la zona. <u>Algunos</u> textos como <u>*Rutas turísticas en acción*</u>, de <u>Lucrecia Romero</u>, dan testimonio de estos esfuerzos. La fundación cuenta con la colaboración de la <u>Unión Europea</u> y de particulares, como <u>Jason Berry</u> y <u>Bill Talbot</u>.

| nombres propios | Petén, Centroamérica, Tikal, Piedras Negras, Lucrecia Romero, Jason Berry, Bill Talbot |

| títulos | *Rutas turísticas en acción* |

| nombres de instituciones | Fundación ProPetén, Unión Europea |

| comienzo de oración | Petén, Tiene, La, Algunos, La |

46 **En el mundo hispano...**

▶ Escribe tres elementos para cada serie.

| países hispanos |

México, Puerto Rico, Guatemala

| ciudades hispanas |

Buenos Aires, La Habana, Lima

| nacionalidades hispanas |

salvadoreño, colombiano, venezolano

| instituciones hispanas |

Instituto Cervantes, Asociación Peruano Japonesa, Comunidad Andina

| famosos hispanos |

Shakira, Pablo Neruda, Rafael Nadal

47 **Cuestión de mayúsculas**

▶ Explica por qué llevan mayúscula las palabras destacadas en cada caso.

1. ¡Bienvenidos al restaurante **Amistad**!

   Porque es el nombre propio de un lugar.

2. Esta es mi prima Montse. Como es muy tímida, todos la llamamos **Sonrojos**.

   Porque es un apodo.

3. He escrito un poema sobre el peor día de la semana. Lo he titulado **Lunes**.

   Porque es el título de una obra.

48 **Faltan las mayúsculas**

▶ Subraya las letras que deban ir en mayúscula.

> **Turismo en Guatemala**
>
> En Guatemala la temporada de lluvias abarca de mayo a noviembre, aunque en Verapaces, por ejemplo, dura casi todo el año. Por eso es mejor visitar el país entre diciembre y abril. Por estas fechas acuden a Guatemala turistas franceses e italianos y también gente de Estados Unidos, Alemania y China, entre otros países.

UN TRABAJO

El texto *El tejido maya, expresión cultural y artística* (pág. 126) da información sobre la importancia y el significado que la actividad de tejer tiene para los mayas.

- Tiene un título que resume el tema:

El tejido maya, expresión cultural y artística

- Trata diferentes aspectos del tema de forma ordenada:

La tejedora conoce su arte por tradición. *El arte de tejer es complicado.* *La tradición textil maya es muy rica.*

- Utiliza imágenes de refuerzo:

Corte *Falda larga ajustada a la cintura.*

Un trabajo es un escrito en el que se **expone información de forma ordenada** sobre un tema. Puede ir acompañado de **imágenes y dibujos** que refuerzan la información.

49 Un trabajo sobre Guatemala

▶ **Escribe e ilustra un trabajo sobre algún tema que te interese de Guatemala.**

A. Elige el tema y busca información sobre él.

Los museos de Guatemala.   *Las costumbres mayas.*

Los paisajes de Guatemala.   *Personajes famosos de Guatemala.*

 Los paisajes de Guatemala.

B. Ordena y estructura la información.

- Piensa qué aspectos son los más importantes y cuáles son secundarios.
- Ordena los distintos aspectos.
  1. *En Guatemala hay muchos museos y de tipos muy variados.*
     Algunos museos están dedicados al mundo maya, como el Museo Popol Vuh.
  2. *Los museos más importantes están en la Ciudad de Guatemala.*
     Además, en la capital hay muchas galerías de arte.

 1. Guatemala: situación.

 2. Diferentes paisajes: la costa, los volcanes.

 3. Ejemplos concretos.

C. Escribe un título adecuado que resuma el tema.

Guatemala: historia y tradición en los museos

 Paisajes de Guatemala

D. Escribe ordenadamente tu texto.

- Desarrolla cada idea en un párrafo.
- Deja espacios para insertar las imágenes.

En Guatemala hay muchos museos. Son de todo tipo. Algunos de ellos están dedicados al mundo maya, como el Museo Popol Vuh.

Los museos más importantes están en la Ciudad de Guatemala. En esta ciudad, además, hay muchas galerías de arte.

Paisajes de Guatemala

 Guatemala es un país de Centroamérica. Limita con México, Belice, Honduras y El Salvador. Debido a su situación, tiene diferentes paisajes.

 Guatemala tiene grandes playas en el océano Pacífico y también algunas playas caribeñas. En el interior de Guatemala hay imponentes volcanes. En el norte hay paisaje selvático.

 Los volcanes más famosos de Guatemala son el Atitlán y el volcán Pacaya.

E. Corrige el trabajo.
- Revisa la ordenación de los párrafos.
- Revisa la ortografía.

CHICHICASTENANGO, UN PUEBLO MÁGICO

El pintoresco pueblo de Chichicastenango es uno de los destinos más atractivos de Guatemala. El mercado de Chichicastenango es la parte más visitada del pueblo; sin embargo, sus iglesias, la mezcla de ritos mayas y cristianos, la amplia variedad de tiendas y el colorido de las vestimentas de los indígenas que venden sus mercancías hacen que todo el pueblo merezca la pena.

El célebre mercado de Chichicastenango alcanza su máxima expresión los domingos y es una verdadera fiesta para los sentidos. Todas las semanas del año los indígenas acuden allí para vender sus mercaderías. La zona del mercado que está cerca de la iglesia de Santo Tomás es la más colorida y la más visitada por los turistas. En las escalinatas de la iglesia se puede ver a las nativas con sus espléndidos trajes vendiendo frutas, verduras y flores.

La iglesia de Santo Tomás fue construida por los españoles sobre las ruinas de un templo maya. Algunos de los indios maya-quiché utilizan el atrio para sus ceremonias. Los sacerdotes católicos permiten la celebración de esos ritos porque los indígenas mezclan sus costumbres con la religión católica en una perfecta armonía que encanta a los visitantes.

La plaza de la iglesia del Calvario del Señor Sepultado es un lugar curioso porque solo es utilizada por los indígenas: en sus escaleras se reúnen los chamanes nativos y los adivinos.

Fuente: http://www.boletinturistico.com. Texto adaptado.

50 **Verdades sobre Chichicastenango**

▶ **Indica si las siguientes afirmaciones son ciertas (C) o falsas (F).**

1. Chichicastenango es un sitio digno de visitar.   Ⓒ   F
2. Los vendedores acuden a Chichicastenango todas las semanas.   Ⓒ   F
3. La iglesia de Santo Tomás es un templo maya.   C   Ⓕ
4. Los mayas mezclan costumbres católicas y ritos mayas.   Ⓒ   F
5. Los adivinos y chamanes se reúnen dentro de una iglesia.   C   Ⓕ
6. En Chichicastenango solo merece la pena visitar el mercado.   C   Ⓕ

51 **¿Dónde?**

▶ **Completa con los lugares que correspondan.**

1. Las mujeres venden frutas, verduras y flores en <u>las escalinatas de la iglesia de</u>. <u>Santo Tomás.</u>
2. Los chamanes y adivinos se juntan en <u>las escaleras de la plaza de la iglesia</u>. <u>del Calvario del Señor Sepultado.</u>
3. Los indios maya-quiché hacen sus ceremonias en <u>el atrio de la iglesia de Santo</u>. <u>Tomás.</u>
4. Los turistas visitan principalmente <u>la zona del mercado que está cerca de la</u>. <u>iglesia de Santo Tomás.</u>

52 **De visita por Chichi**

▶ **Responde. ¿Qué sitios de Chichicastenango te gustaría visitar? ¿Por qué?**

<u>La zona del mercado, la iglesia de Santo Tomás, la plaza de la iglesia</u>

<u>del Calvario del Señor Sepultado.</u>

<u>Me parecen sitios interesantes y llamativos.</u>

53 **Yo prefiero...**

▶ **Explica qué lugares o qué tipo de tiendas prefieres tú para comprar y por qué.**

<u>A mí me gusta ir a los centros comerciales. Si vas a un centro comercial, tienes</u>

<u>muy cerca todas las tiendas que quieres ver. Así puedes hacer todas tus</u>

<u>compras en una sola tarde.</u>

PODEROSO CABALLERO ES DON DINERO

> ¡Nos encanta **ir de compras**! Sobre todo cuando hay **rebajas** y los **precios** son más bajos. No nos gusta pagar con **tarjeta de crédito**, preferimos pagar en **efectivo**.

54 **¿Qué ocurre en el centro comercial?**

▶ **Escribe la expresión que corresponda a cada situación.**

✓ tener descuento	✓ salir gratis	✓ tener garantía
✓ poner una reclamación	✓ hacer una devolución	✓ hacer un cambio

1. María ha comprado unos pantalones. Le quedan pequeños y quiere unos más grandes.

   María tiene que <u>hacer un cambio.</u>

2. Al comprar una camisa de cuadros, a Jonás le han regalado una de rayas.

   La camisa de rayas <u>le salió gratis.</u>

3. Los señores Suárez han comprado un reloj. Si se estropea, se lo arreglarán sin coste.

   El reloj <u>tiene garantía.</u>

4. La televisión que Sara compró no tiene las características que le indicó el vendedor.

   Sara debe <u>poner una reclamación.</u>

5. Juanita ha comprado una falda que costaba 50 dólares. Solo ha tenido que pagar 30.

   La falda de Juanita <u>tenía descuento.</u>

6. Andrés compró un libro para su hijo, pero su hijo ya lo tiene.

   Andrés quiere <u>hacer una devolución.</u>

▶ **Responde. ¿Has hecho alguna vez una reclamación? ¿Por qué? Explica qué hiciste y cómo te comportaste.**

<u>Sí, una vez tuve que hacer una reclamación en una librería porque me vendieron</u>

<u>un cómic con algunas hojas estropeadas. Fui al departamento de Atención al</u>

<u>cliente y expliqué educadamente el problema.</u>

55 **¿Te queda bien lo que queda en la tienda?**

▶ **Elige en cada caso la afirmación que transmite la misma idea.**

1. A mi hija no le **quedan bien** los pantalones cortos.
   - ☑ A mi hija no le sientan bien los pantalones cortos.
   - ☐ A mi hija no le gusta llevar pantalones cortos.
   - ☐ Mi hija ya no tiene pantalones cortos.

2. En la tienda no **quedan** camisas de rayas.
   - ☑ En la tienda ya no tienen camisas de rayas.
   - ☐ Las camisas de rayas de la tienda no sientan bien.
   - ☐ En la tienda no se han hecho con más camisas de rayas.

3. Marisa **se quedó con** el chal de la abuela.
   - ☐ A Marisa le favorece el chal de la abuela.
   - ☑ Marisa posee ahora el chal de la abuela.
   - ☐ Marisa perdió el chal de la abuela.

56 **¿Caro o barato?**

▶ **Clasifica las siguientes expresiones.**

✔ es un chollo   ✓ cuesta un ojo de la cara   ✓ es una ganga

✓ está regalado   ✓ cuesta un riñón   ✓ vale un Potosí

ES CARO	ES BARATO
cuesta un ojo de la cara	es un chollo
cuesta un riñón	está regalado
vale un Potosí	es una ganga

▶ **Escribe y diseña un anuncio para una tienda utilizando una de las expresiones anteriores.**

(ANSWERS WILL VARY)

EL SONIDO N ANTES DE *P* Y DE *B*

El sonido **N** se representa con la letra *m* si aparece antes de *p* o de *b* en la misma palabra.

mp —————————— campana

mb —————————— bombilla

57 **Justo al contrario**

▶ **Escribe palabras que signifiquen lo contrario.**

- solo   acompañado
- nunca   **siempre**
- puntual   **impuntual**
- paciencia   **impaciente**

- tarde   **temprano**
- acabar   **empezar**
- sucio   **limpio**
- antipático **simpático**

▶ **Escribe una breve historia con las palabras anteriores.**

ANSWERS WILL VARY

Luis siempre empieza temprano a limpiar su casa, pero hoy ha empezado antes.

Está impaciente porque tiene una cita. Va al baile acompañado de Diana, que es muy simpática, y no quiere ser impuntual.

58 **Que no se puede...**

▶ **Sustituye la parte destacada por una palabra que signifique lo mismo.**

1. En algunos lugares, Guatemala tiene un clima **que no se puede predecir**.

   En algunos lugares, Guatemala tiene un clima **impredecible**.

2. ¿No tienes horno en casa? ¡Pero si es un aparato **del que no se puede prescindir**!

   ¿No tienes horno en casa? ¡Pero si es un aparato imprescindible!

3. Mi nueva vecina tiene un nombre **que no puedo pronunciar**.

   Mi nueva vecina tiene un nombre impronunciable.

59 ¡Acción!

▶ **Escribe un verbo correspondiente a cada acción.**

- cubrir con papel ___empapelar___
- cubrir con piedras ___empedrar___
- hacer más pequeño ___empequeñecer___
- volverse más pobre ___empobrecer___

▶ **Escribe tres oraciones usando algunos de los verbos anteriores.**

Mis padres decidieron empapelar la sala.

Los trabajadores empedraron el camino.

Los malos gobiernos empobrecen a las naciones.

60 Con *mp* y *mb*

▶ **Completa las oraciones con palabras que contengan *mp* o *mb*.**

1. Treinta días trae ___noviembre___ con abril, junio y ___septiembre___ .

2. En Cuba bailan ___mambo___ ; en Brasil bailan ___samba___ .

3. No hay luz. Habrá que ___cambiar___ la bombilla a la ___lámpara___ .

4. Mi cuñado toca la ___marimba___ y yo toco el ___tambor___ .

5. Tengo ___hambre___ . Quiero una ___hamburguesa___ con patatas.

61 Una historia de terror

▶ **Completa con *mp* o con *mb*.**

Amparo en el campo

A _mp_ aro fue hace unas semanas de aca**mp**ada con sus amigos. Menos mal que fue aco**mp**añada porque aquella noche ocurrieron muchas cosas aso**mb**rosas. Al principio, A**mp**aro y sus amigos jugaron en los colu**mp**ios, recogieron cha**mp**iñones y fra**mb**uesas y pasaron el tie**mp**o con diversiones si**mp**les. De repente, A**mp**aro sintió un cala**mb**re en el ho**mb**ro.

Todo se enso**mb**reció como ocurre antes de una te**mp**estad. Todos oyeron un sonido parecido a la sirena de una a**mb**ulancia. Se asustaron mucho. Parecía que el bosque estuviese e**mb**rujado. Sin e**mb**argo, pronto descubrieron la verdad: el ruido lo hacían unos pájaros. Comenzó a llover, los chicos se cobijaron en la tienda de ca**mp**aña y esperaron a que esca**mp**ase.

Tras la lluvia, todo volvió a la calma.

RESUMIR

Chichicastenango es un pueblo donde se unen tradiciones mayas y ritos católicos, con muchos rincones dignos de ser visitados. El mercado es su atracción principal.

Resumir es **escribir** brevemente **lo esencial** de un texto.

62 **Pregunta a pregunta**

▶ **Lee y responde las preguntas.**

Los mercados en el mundo hispano

Más que un lugar, el mercado al aire libre es un acontecimiento. Su importancia ha sido vital para el desarrollo y la configuración de las ciudades.

El intercambio en los mercados se documenta en Europa ya en el siglo XI y en América era muy común entre los mayas y los aztecas. Un día concreto de la semana, «el día de mercado», los campesinos de toda una región exponían e intercambiaban sus productos en la plaza o explanada de una ciudad.

Actualmente, los mercados al aire libre siguen gozando de gran aceptación en el mundo hispano porque son coloridos, bulliciosos y muy baratos.

1. ¿Qué son los mercados al aire libre?

   Un acontecimiento.

2. ¿De cuándo data el intercambio en mercados?

   Desde el siglo XI.

3. ¿Cuándo y dónde se produce el intercambio de productos?

   Un día concreto de la semana, en la plaza o explanada de la ciudad.

4. ¿Por qué tienen aceptación los mercados en el mundo hispano?

   Porque son coloridos, bulliciosos y muy baratos.

▶ **Escribe todas las respuestas seguidas y tendrás un resumen del texto.**

   Los mercados al aire libre son un acontecimiento que data desde el siglo XI.
   El intercambio de productos se produce un día concreto de la semana en la
   plaza o explanada de la ciudad. Los mercados tienen aceptación en el mundo
   hispano porque son coloridos, bulliciosos y muy baratos.

63 **Más mercados**

▶ Subraya las ideas principales del siguiente texto.

> **Mercados de Guatemala**
>
> Los mercados de Guatemala son muy interesantes. En pocos metros cuadrados puede adquirirse una gran variedad de productos: carnes y embutidos de distinta clase, verduras y frutas, ropa y calzado.
>
> Los mercados son un gran soporte de la economía nacional porque ofrecen productos diversos a precios bajos y, además, son una muestra de la multiculturalidad de nuestra sociedad.
>
> Para mejorar las oportunidades de negocio de los mercados y buscar mayor reconocimiento y representación internacional, se ha creado el proyecto *Mercados de Guatemala*, que quiere convertir a Guatemala en el primer país de América que da a conocer sus mercados a través de Internet.
>
> **Fuente:** http://www.mercadosdeguatemala.com. Texto adaptado.

▶ Escribe un resumen del texto uniendo las ideas que has subrayado.

Los mercados de Guatemala son muy interesantes y un gran soporte de la economía nacional. Para mejorar las oportunidades de negocios y buscar mayor reconocimiento y representación internacional, se ha creado el proyecto *Mercados de Guatemala.*

▶ Reescribe algunas ideas para hacer un resumen más personal.

Los mercados de Guatemala son muy interesantes. → En Guatemala, los mercados son lugares dignos de visitar.

Para mejorar las oportunidades de negocios. → Para conseguir hacer más negocios.

Buscar mayor reconocimiento y representación internacional. → Buscar tener más presencia en otras naciones.

CENTROAMÉRICA Y GUATEMALA

Centroamérica es el subcontinente que une América del Norte y América del Sur. En él hay siete países: Guatemala, El Salvador, Honduras, Nicaragua, Costa Rica, Panamá y Belice.

64 **Viajando por Centroamérica**

▶ Observa el mapa e indica las rutas que se deben seguir para ir a los siguientes lugares.

1. De la Ciudad de Guatemala a Managua.

   Debo atravesar Honduras.

2. De San Salvador a la Ciudad de Panamá.

   Debo atravesar Honduras, Nicaragua y Costa Rica.

3. De la Ciudad de Belice a la Ciudad de Panamá.

   Debo atravesar Guatemala, Honduras, Nicaragua y Costa Rica.

4. De la Ciudad de Panamá a Puerto Cabezas.

   Debo atravesar Costa Rica.

RIGOBERTA MENCHÚ: DISCURSO DE ACEPTACIÓN DEL PREMIO NOBEL DE LA PAZ 1992

Permítanme, señoras y señores, decirles algunas palabras sobre mi país y la civilización maya. Los pueblos mayas ocuparon el sur de México, Belice, Guatemala y partes de Honduras y El Salvador; desarrollaron una civilización muy rica en los campos de la organización política, en lo social y en lo económico; fueron grandes científicos y grandes artistas.

Los mayas nos consideramos partes integrales de la naturaleza e hijos de la tierra, que nos da la vida. La madre tierra es para nosotros no solamente fuente de riqueza económica. La tierra es raíz y fuente de nuestra cultura. Contiene nuestra memoria, acoge a nuestros antepasados y requiere por lo tanto que nosotros la honremos y le devolvamos con ternura y respeto los bienes que nos brinda. Si el mundo no aprende ahora a respetar la naturaleza, ¿qué futuro tendrán las nuevas generaciones?

Rigoberta Menchú

RIGOBERTA MENCHÚ TUM.
© The Nobel Foundation 1992.
Texto adaptado.

65 ¿Cómo son los mayas?

▶ **Indica si las siguientes afirmaciones son ciertas (C) o falsas (F).**

1. Los mayas fueron destacados científicos pero artistas poco valiosos. C (F)
2. Los mayas sienten un fuerte respeto por la naturaleza. (C) F
3. Los mayas ocuparon varios países de Centroamérica. (C) F
4. La tierra es para los mayas únicamente una fuente de riqueza económica. C (F)

66 La visión de Rigoberta Menchú

▶ **Responde. Según Rigoberta Menchú, ¿qué es la tierra para los mayas?**

Según Rigoberta Menchú, la tierra para los mayas es fuente de riqueza económica y raíz y fuente de su cultura.

67 El valor de la tierra

▶ **Responde.**

1. ¿Qué valores ves en la relación de los mayas con la tierra?

Es una relación cercana y muy respetuosa.

2. ¿Por qué crees que hay que respetar la naturaleza?

Porque es fuente de riqueza y el ambiente en que vivimos.

LOS VOLCANES DE GUATEMALA

En Guatemala hay muchos volcanes. Algunos de ellos, como el Atitlán y el Tolimán, tienen hermosas rutas turísticas. Los más activos son el volcán Pacaya, situado cerca de la Ciudad de Guatemala, y el volcán Fuego, cerca de Antigua.

68 **En erupción**

▶ **Lee el texto y completa el gráfico con las siguientes palabras.**

✓ cono ✓ cráter ✓ garganta ✓ fumarola ✓ chimenea

El volcán Atitlán

El volcán Atitlán tiene un cono muy simétrico. En la cima del cono, está el cráter, que tiene 250 metros de diámetro. Por la garganta salen, procedentes de la chimenea, fumarolas de humo y ceniza.

La forma perfecta del volcán es efecto de la erosión sobre las coladas de lava. Cuando el volcán entraba en erupción, la lava subía por la garganta y salía por el cráter. Luego, iba descendiendo ladera abajo hasta que se volvía sólida.

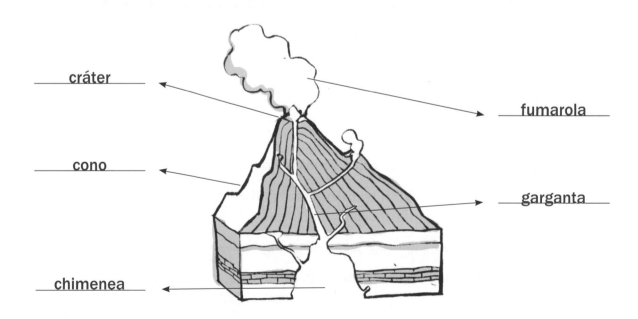

cráter

fumarola

cono

garganta

chimenea

LA LEYENDA DEL XOCOMIL

Desde la cumbre del volcán Atitlán se puede ver el lago Atitlán, una hermosa masa de agua cargada de leyendas. La más conocida es la del Xocomil.

Según esta leyenda, un guerrero cachiquel llamado Utzil se casó con una mujer llamada Zacar. Zacar era miembro de los quichés, el pueblo enemigo de los cachiqueles. Al morir su amada, Utzil se arrojó al lago Atitlán con el cadáver de su mujer en brazos. Entonces, los dioses convirtieron a ambos jóvenes en viento.

Cuando, por la noche, Utzil y Zacar juegan a perseguirse, sopla un viento en el lago que hace naufragar las embarcaciones. Así, Utzil y Zacar pueden jugar tranquilos, porque nadie podrá ser testigo jamás de sus amores.

Los cachiqueles llaman a ese viento Xocomil, que quiere decir *viento fuerte que sopla sobre las aguas*.

69 La verdad sobre el Xocomil

▶ **Indica si las siguientes afirmaciones son ciertas (C) o falsas (F).**

1. Utzil y Zacar eran dos jóvenes que estaban enamorados.　　Ⓒ　F
2. Los cachiqueles eran amigos de los quichés.　　C　Ⓕ
3. El Xocomil es un viento matutino.　　C　Ⓕ
4. El Xocomil hunde los barcos para ocultar el amor de Utzil y Zacar.　　Ⓒ　F

70 ¿Qué causó qué?

▶ **Relaciona cada hecho con su causa.**

1. El viento sopla. —— a. Zacar murió.
2. Las embarcaciones se hunden. —— b. El viento sopla.
3. Utzil se arrojó al lago. —— c. Utzil persigue a Zacar.

71 Fantasía, por favor

ANSWERS WILL VARY

▶ **Responde. ¿Qué otra explicación fantástica podrías dar para el viento del lago Atitlán?**

Un monstruo marino que no se lleva bien con los pescadores sopla por las

noches y remueve las aguas del lago.

LAS COMUNIDADES INDÍGENAS EN GUATEMALA

Gran parte de la población guatemalteca es indígena. Todos los pueblos indígenas de Guatemala luchan por preservar su forma de vida, su lengua y sus tradiciones.

72 **Indígenas en Guatemala**

A los garífuna nos gusta pescar. Vivimos en la costa atlántica de Guatemala, en el departamento de Izabal. Somos unos seis mil.

¡Hola! Yo soy xinca. Solo somos unos cien en Guatemala. Vivimos en el departamento de Santa Rosa y somos agricultores.

Yo soy Kotzij, soy maya-quiché. En Guatemala, los quichés somos más de medio millón. Vivimos en los departamentos de Totonicapán, Quiché, Sololá y Quetzaltenango. Nuestros tejidos de algodón y de lana son muy famosos.

▶ **Colorea los departamentos en los que vive cada pueblo y dibuja iconos para sus actividades. Después, completa la leyenda.**

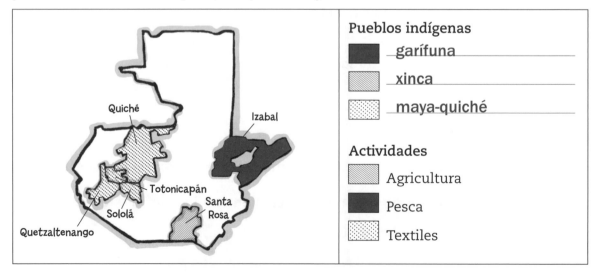

Pueblos indígenas
- garífuna
- xinca
- maya-quiché

Actividades
- Agricultura
- Pesca
- Textiles

73 Los derechos de los indígenas

DECLARACIÓN DE LAS NACIONES UNIDAS SOBRE LOS DERECHOS DE LOS PUEBLOS INDÍGENAS

Artículo 12

1. Los pueblos indígenas tienen derecho a manifestar, practicar, desarrollar y enseñar sus tradiciones, costumbres y ceremonias espirituales y religiosas.

Artículo 13

1. Los pueblos indígenas tienen derecho a revitalizar, utilizar, fomentar y transmitir a las generaciones futuras sus historias, idiomas, tradiciones orales, filosofías…

2. Los Estados adoptarán medidas eficaces para garantizar ese derecho.

UNITED NATIONS. Declaration on the Rights of Indigenous Peoples 2007. Texto adaptado.

▶ **Responde.**

1. ¿Qué tradiciones y costumbres culturales de pueblos indígenas guatemaltecos conoces?

   El uso de trajes típicos.

   Los mercados tradicionales.

2. ¿Por qué crees que es necesario proteger los derechos de los indígenas?

   Para preservar sus costumbres y tradiciones que enriquecen la cultura

   universal.

74 Una Guatemala por conocer

▶ **Lee el texto y señala qué actos incluirías en este proyecto.**

- ☑ conferencias sobre el país
- ☑ música y danzas típicas
- ☑ testimonios de guatemaltecos
- ☑ muestras gastronómicas
- ☑ exposiciones
- ☑ venta de artesanía

▶ **Añade otros actos interesantes.**

   visitas virtuales

   mesas de debate

Una Guatemala por conocer es un evento que expone los valores guatemaltecos en California.

La Feria del Condado de Los Ángeles permite que millones de personas muestren su cultura y sus productos.

Con este acto, los guatemaltecos demuestran ser un grupo étnico organizado y competitivo.

DESAFÍO 1

75 Vámonos de compras

▶ **Escribe una palabra que tenga el mismo significado que las siguientes.**

1. comprar adquirir

2. precio importe

3. rebajas ofertas

76 El sonido G suave

▶ **Escribe tres palabras con _g_ y tres palabras con _gu_.**

garaje, gobierno, gato / guitarra, guerra, hamburguesa

▶ **Responde. ¿Cuándo se escribe con _gu_ el sonido G suave?**

Cuando va delante de las vocales _e, i._

DESAFÍO 2

77 Ande yo caliente y ríase la gente

▶ **Escribe tres nombres de prendas de ropa para cada ocasión.**

1. Para una celebración: esmoquin, corbata, camisa

2. Para la playa: sandalias, bermuda, camiseta

3. Para casa: pantuflas, batín, pijama

▶ **Completa el texto con palabras referidas a las partes de una prenda.**

Rodrigo no sabe abrocharse los _____ botones _____ de la camisa. Dice que no

caben en los _____ ojales _____ porque los sastres los hacen muy pequeños.

Prefiere la ropa con _____ cremallera _____, como las chaquetas y cazadoras.

78 Acentuación de los interrogativos y de los exclamativos

▶ **Completa las preguntas con interrogativos.**

1. ¿ Quiénes _____ van a venir a la fiesta de cumpleaños?

2. ¿ Cuántas _____ tartas tendremos que comprar?

3. ¿ Dónde _____ vive tu prima?

DESAFÍO 3

79 **De punta en blanco**

▶ Dibuja.

| lunares | | rayas | | cuadros |

80 **El uso de las mayúsculas**

▶ Subraya las letras que deban ir en mayúscula.

El libro *Hombres de maíz*, de Miguel Ángel Asturias, está relacionado con la cultura maya. Una de sus protagonistas es conocida como la Piojosa grande.

DESAFÍO 4

81 **Poderoso caballero es don Dinero**

▶ Completa con *quedar bien* o con *quedar*.

Luisa se ha comprado unos pantalones, porque no _____quedaban_____ las faldas.

82 **El sonido N antes de *p* y de *b***

▶ Escribe palabras que signifiquen lo mismo.

Que no tiene paciencia: __impaciente__ . Que no se puede batir: _____imbatible_____ .

83 **Centroamérica y Guatemala**

▶ Enumera los países que hay entre México y Colombia.

Debo atravesar Guatemala, Honduras, Nicaragua, Costa Rica y Panamá.

84 **Los volcanes de Guatemala**

▶ Escribe el nombre de tres partes de un volcán.

cono, cráter, chimenea

85 **Las comunidades indígenas en Guatemala**

▶ Escribe el nombre de tres comunidades indígenas de Guatemala.

garífuna, xinca, maya-quiché

Unidad 4 Perú

1 **¿Qué sabes sobre Perú?**

▶ **Elige la respuesta correcta.**

1. Perú está en…

   a. América Central.   ⓑ América del Sur.   c. América del Norte.

2. La capital de Perú es…

   a. Quito.   ⓑ Lima.   c. Cuzco.

3. Perú tiene costa…

   a. en el océano Atlántico.   b. en el mar Caribe.   ⓒ en el océano Pacífico.

4. La cultura prehispánica más importante de Perú es la cultura…

   a. maya.   ⓑ inca.   c. azteca.

5. La principal cordillera de Perú es la cordillera…

   ⓐ de los Andes.   b. de los Alpes.   c. de las Rocosas.

6. El plato típico de Perú es…

   a. el gallopinto.   b. el asado.   ⓒ el ceviche.

2 **Conozco Perú**

▶ **Elige el dibujo adecuado para cada caso.**

1. La forma de Perú.

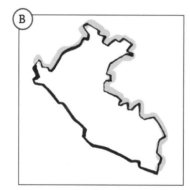

2. La construcción inca más importante de Perú.

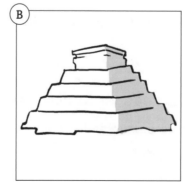

3 **Perú y sus alrededores**

▶ **Lee el texto y escribe en el mapa los nombres destacados.**

La geografía de Perú

Perú comparte frontera con muchos países: al norte limita con **Ecuador**, al noreste con **Colombia**, al este con **Brasil**, al sureste con **Bolivia** y al sur con **Chile**. La capital, **Lima**, está en la costa del **Pacífico** y en el centro del país. El lago más grande de Perú es el **Titicaca**, que comparte con **Bolivia**. En Perú hay una gran extensión de **selva** en el interior, cerca de la frontera con **Brasil**. Hay una ciudad importante en plena selva: **Iquitos**. Cerca de la costa, y paralela a ella, corre la **cordillera andina**. ¡Es un país con paisajes muy variados!

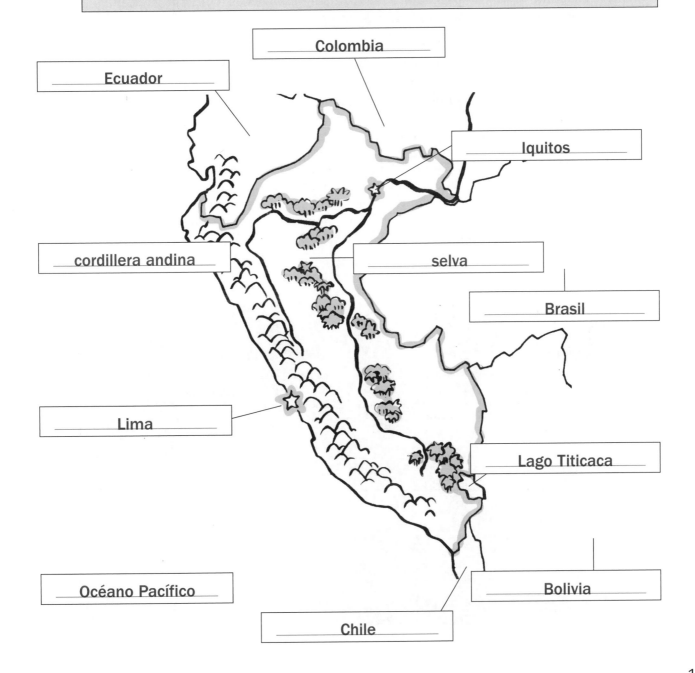

Colombia

Ecuador

Iquitos

cordillera andina

selva

Brasil

Lima

Lago Titicaca

Océano Pacífico

Bolivia

Chile

EL PAICHE

El paiche (*Arapaima gigas*) es uno de los peces de agua dulce más grandes de nuestro planeta. Su tamaño a veces supera los tres metros de longitud. Puede llegar a pesar doscientos kilos. El hábitat del paiche es la cuenca amazónica. Normalmente se encuentra en aguas tranquilas con abundante vegetación en la orilla.

La alimentación del paiche consiste preferentemente en peces, crustáceos, insectos y plantas. Sus depredadores, sobre todo cuando es joven, son las aves (como el martín pescador o la garza), algunos peces (como la piraña) y los parásitos, especialmente el canero, un pez que se aloja en sus branquias y le succiona la sangre.

El paiche posee unas glándulas especiales en la cabeza. Estas glándulas producen una sustancia que le sirve para marcar su territorio y mantener a los hijos cerca de sus padres. Además, el paiche puede vivir en aguas con escasez de oxígeno, pues cuando salta capta el oxígeno de la superficie gracias a una vejiga natatoria, un órgano que le sirve de pulmón.

Del paiche se aprovecha la carne (de apreciado sabor), las escamas (usadas en la artesanía) y la lengua (empleada con fines medicinales). Sin embargo, la sobrepesca ha convertido a esta especie en un animal en vías de extinción. Por este motivo, se han hecho muchos intentos de criar el paiche en piscifactorías.

Fuente: http://www.peruecologico.com.pe. Texto adaptado.

4 Cómo es el paiche

▶ Indica si las siguientes afirmaciones son ciertas (C) o falsas (F).

1. Algunos paiches pueden superar los tres metros de longitud. Ⓒ F
2. Los paiches nunca se alimentan de plantas. C Ⓕ
3. El paiche solo respira a través de las branquias. C Ⓕ
4. La garza y la piraña cazan paiches jóvenes para comer. Ⓒ F
5. El paiche es un pez de agua salada. C Ⓕ
6. La carne del paiche se emplea con fines medicinales. Ⓒ F

5 Con otras palabras

ANSWERS WILL VARY

▶ Sustituye las palabras destacadas por otras palabras o expresiones que signifiquen lo mismo.

• **Normalmente** se encuentra en aguas con **abundante** vegetación en la orilla.

 Generalmente se encuentran en aguas con mucha vegetación en la orilla.

• El paiche **puede** vivir en aguas con **escasez de** oxígeno.

 El paiche consigue vivir en aguas con poco oxígeno.

• El canero **se aloja** en sus branquias y le **succiona** la sangre.

 El canero se instala en sus branquias y le absorbe la sangre.

6 ¡Vamos a identificarlos!

▶ Escribe a qué animal corresponde cada definición.

                crustáceo   parásito   depredador

1. Clase de los animales con branquias y caparazón, como la gamba.

 crustáceo

2. Organismo vivo que vive a costa de otro, alimentándose de él o dañándolo.

 parásito

3. Animal que caza animales de otras especies para alimentarse de ellos.

 depredador

▶ Responde. ¿En qué tipos de textos crees que suelen aparecer estas palabras?

☐ Novelas y poemas.

☑ Fichas científicas y entradas enciclopédicas.

☐ Titulares de periódicos.

FRUTAS Y VERDURAS

> ¡Me encanta la **fruta**! Después de comer siempre tomo alguna: una **naranja**, una rodaja de **sandía**, un **melocotón**, unas **fresas**... Es un postre sano y delicioso.

---

7   **¿Frutas o verduras?**

▶ Clasifica las siguientes palabras.

✓ naranja   ✓ espárrago   ✓ alcachofa   ✓ banana   ✓ lechuga   ✓ tomate
✓ pimiento   ✓ aguacate   ✓ cebolla   ✓ ajo   ✓ limón   ✓ puerro
✓ berenjena   ✓ fresa   ✓ manzana   ✓ guisante   ✓ melón   ✓ repollo

Frutas	Verduras
naranja	pimiento
aguacate	berenjena
fresa	espárrago
manzana	alcachofa
banana	cebolla
limón	ajo
melón	guisante
tomate	lechuga
	puerro, repollo

---

8   **Frutos secos**

▶ Ordena las siguientes letras para encontrar las palabras ocultas.

- A C N O S R A D A   **ANACARDO**
- S A I P P   **PIPAS**
- H E T C A U A C E S   **CACAHUETES**
- D R S M E L A A N   **ALMENDRAS**
- C O H P I T S A S   **PISTACHOS**

▶ Responde. ¿Qué otros frutos secos conoces?

Las avellanas y las castañas.

9 **Fuga de palabras**

▶ Completa el texto con las siguientes palabras.

✓puré ✓arroz ✓vegetariano ✓crema ✓carne ✓ensalada ✓macedonia ✓sorbete

De restaurantes

Ayer fui con mi amigo Henry a un restaurante __vegetariano__, es decir, un sitio

donde no sirven __carne__ de ningún tipo. Yo me pedí una __ensalada__

de verduras de primero y una __crema__ de tomate y queso de segundo.

De postre, tomé una __macedonia__ de frutas y un __sorbete__

de limón. Henry prefirió pedir un __puré__ de calabacín y un plato

de __arroz__ con verduras. A los dos nos gustó mucho el restaurante.

10 **Platos típicos**

▶ Escribe los siguientes nombres bajo la imagen que les corresponda.

empanada   ceviche   guacamole   paella

__paella__   __guacamole__   __ceviche__   __empanada__

▶ Responde.

• ¿Cuáles de estos platos no se sirven en un restaurante vegetariano? ¿Por qué?

__La empanada, porque contiene carne.__

• ¿Has probado alguno de esos platos? ¿Te gustó?

__Sí, la empanada me gustó mucho.__

11 **¿Con qué lo comparo?**

▶ Elige la fruta que mejor completa la expresión.

Cuando le dije que era muy guapo, Luis se puso rojo como….

☑un tomate.   ☐un espárrago.   ☐una pera.

▶ Explica por qué has hecho esa elección.

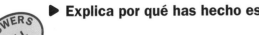

__Porque el tomate es de color rojo.__

EL SONIDO I

El sonido **I** se escribe generalmente con *i*. Sin embargo, se escribe con *y* en estos casos:

- En la conjunción copulativa **y**.
- Cuando está a final de palabra y forma una sola sílaba con una o más vocales, excepto en las palabras *fui*, *bonsái* y *samurái*.

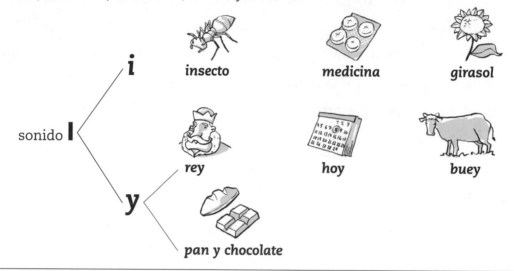

sonido **I**

i — insecto — medicina — girasol

y — rey — hoy — buey

pan y chocolate

12 Palabras incompletas

▶ **Completa con *i* o con *y*.**

1. _i_gual
2. convo_y_
3. m_i_edo
4. do_y_

5. r_i_queza
6. v_i_ento
7. le_y_
8. c_i_en

9. d_i_r_i_g_i_r
10. bue_y_
11. virre_y_
12. qu_i_eto

13. s_i_lenc_i_o
14. se_i_s
15. _i_mprudente
16. s_i_empre

13 Nos faltan los nombres

▶ **Escribe el nombre adecuado para cada dibujo.**

abrigo   iglú   rey   bonsái

▶ **Escribe el plural de las palabras anteriores.**

- abrigos
- iglús
- reyes
- bonsáis

14 **Así es Sandra**

▶ Completa el texto con formas de los siguientes verbos.

✓ haber   ✓ ser   ✓ dar   ✓ estar

> **Esta soy yo**
>
> Me llamo Sandra y ___soy___ una chica muy simpática y divertida. Me gusta
>
> estudiar y por las tardes ___doy___ clases de música. ¡Me encanta tocar
>
> el piano! Cuando no ___hay___ exámenes, quedo con mis amigas y nos vamos
>
> juntas al cine. Siempre que ___estoy___ con ellas me lo paso genial.

15 **De dos en dos**

▶ Completa las siguientes oraciones usando las palabras de cada pareja.

1. fútbol / tenis
   Mis deportes favoritos son __el fútbol y el tenis._____.

2. Shakira / Don Omar
   En mi reproductor de mp3 llevo canciones de __Shakira y don Omar._____.

3. perros / gatos
   Mi vecina tiene en su casa __perros y gatos._____.

4. Lima / Cuzco
   __Lima y Cuzco_____ son dos ciudades que quiero visitar este verano.

▶ Responde. ¿Qué palabra has empleado para unir cada par de palabras?

__La conjunción copulativa y._____

16 **Con el sonido I**

▶ Completa el principio del cuento con el sonido I.

> **Las habichuelas mágicas**
>
> Hab i a una vez una madre y su h i jo que v i v í an juntos y eran mu y pobres.
> Llegó el t i empo de la cosecha y solo ten í an tres habas.
>
> —Madre, vo y a plantar estas tres habas en la huerta.
>
> —Pero, h i jo, no vale la pena.
>
> S i n embargo, el ch i co fue a la huerta y en una esqu i na h i zo un agujero y
> plantó las habas. Al cabo de un t i empo, el ch i co dijo:
>
> —Vo y a ver s i han crec i do las habas.
>
> *Cuentos populares del Mediterráneo*
> Edición de A. C. HERREROS. Editorial Siruela, 2008. Texto adaptado.

UN TEXTO EXPOSITIVO

El *paiche*

El paiche (Arapaima gigas) es uno de los peces de agua dulce más grandes de nuestro planeta. Su tamaño a veces supera los tres metros de longitud. Puede llegar a pesar doscientos kilos.

Los **textos expositivos** nos **informan** acerca de un tema determinado. En este caso, por ejemplo, se nos presenta un animal, el paiche. Para elaborar un buen texto expositivo, debemos redactar con **claridad** y **orden**.

17 El arca de Noé

▶ **Escribe un texto expositivo sobre un animal.**

A. Elige un animal que te parezca curioso o interesante. Explica las razones de tu elección.

> Animal elegido: **el oso polar.**
>
> Motivos de mi elección: **es un animal muy bonito y poderoso.**

B. Busca información sobre el animal y completa la siguiente ficha con sus datos.

> • Nombre: **oso polar.**
>
> • Nombre científico: **Ursus maritimus.**
>
> • Especie a la que pertenece: **oso polar u oso blanco.**
>
> • Tamaño: **2,5 metros.**
>
> • Hábitat: **Círculo Ártico, Canadá, Alaska, Noruega.**
>
> • Alimentación: **focas y renos.**
>
> • Curiosidades: **Es un animal que está casi al borde de la extinción.**
>
> **Los esquimales los cazaban para aprovechar su carne y su hígado,**
>
> **que es muy rico en vitaminas.**

C. **Elabora un esquema con los apartados que desarrollarás en tu texto.**

Es muy importante que los ordenes de forma lógica y coherente.

1. *Presentación: nombre del animal y especie a la que pertenece.*

2. *Desarrollo: hábitat del animal, características y comportamiento.*

   1. Nombre del animal y tamaño.

   2. Hábitat y alimentación.

   3. Comportamiento.

   4. Curiosidades.

D. **Escribe una pequeña conclusión para tu texto. La conclusión es un breve resumen del contenido del texto.**

La sobrepesca ha convertido al paiche en un animal en vías de extinción.

Al vivir en zonas heladas, el calentamiento global es una amenaza para esta especie.

E. **Redacta tu texto según el esquema que has elaborado e ilústralo con fotos o dibujos.**

El oso polar

El oso polar es un animal de la especie de los osos. Su nombre científico es *Ursus marítimus*. Es un animal que puede llegar a medir dos metros y medio. Vive en zonas frías y heladas del Círculo Ártico, Canadá, Groenlandia y Noruega. Se alimenta de la carne de otros animales, especialmente de focas y renos.

Algunos ejemplares pueden ser vistos en zonas habitadas.

Como viven en zonas heladas, el calentamiento global es un problema que afecta directamente a los osos polares.

EL ORIGEN DE CUZCO

En la mitología peruana, existen varias leyendas sobre la fundación de la ciudad de Cuzco. La más popular es la leyenda de los hermanos Ayar.

Cuenta la leyenda que el dios andino Viracocha creó a cuatro hombres jóvenes y a cuatro jóvenes mujeres en una cueva llamada Pacaritambo. Los cuatro hombres eran hermanos y estaban casados con las cuatro mujeres. Los hombres se llamaban Ayar Manco, Ayar Auca, Ayar Cachi y Ayar Uchu. Como la montaña en que vivían no daba frutos, un día, decidieron salir en busca de tierras más fértiles.

Durante el camino, los hermanos empezaron a tener miedo de Ayar Cachi, ya que era el más fuerte de los cuatro. Temían que pudiese hacerles daño si surgía alguna disputa entre ellos. Por este motivo, inventaron un plan para deshacerse de Ayar Cachi. Hablaron con él y le dijeron:

—Ve a la cueva de Pacarina a buscar semillas y agua.

Ayar Cachi los obedeció sin saber que aquello era un engaño. Cuando entró en la cueva, sus hermanos bloquearon la salida con una enorme piedra.

Pasaron los días y los tres hermanos se encontraron con la estatua de un dios. Como era muy alta, Ayar Uchu se subió a ella para ver mejor el camino. Sin embargo, en cuanto lo hizo, se convirtió en piedra.

Ayar Manco y Ayar Auca siguieron su camino hasta que ocurrió otro hecho sorprendente: Ayar Auca se transformó en un cóndor[1]. Su hermano le pidió que le sirviese como guía y, gracias a su ayuda, consiguió encontrar una tierra fértil y hermosa. Ayar Manco se alegró y clavó su bastón en la tierra. Y en ese mismo lugar fundó la ciudad de Cuzco, la futura capital del imperio inca.

LEYENDA POPULAR.

_____
1. Ave rapaz.

18 **Verdades sobre la leyenda**

▶ Indica si las siguientes afirmaciones son ciertas (C) o falsas (F).

1. La montaña en la que vivían los hermanos tenía muchas tierras fértiles.   C   (F)
2. Ayar Cachi se enfrentó violentamente a sus hermanos.   C   (F)
3. Ayar Uchu se subió a la estatua para burlarse de ella.   C   (F)
4. Cuzco se convirtió en la capital del imperio inca.   (C)   F

19 **Los hermanos Ayar**

▶ Relaciona cada personaje de la columna A con el dato adecuado de la columna B.

Ⓐ   Ⓑ
1. Ayar Manco   a. era el más fuerte de los cuatro hermanos.
2. Ayar Auca   b. se convirtió en piedra.
3. Ayar Uchu   c. se convirtió en cóndor.
4. Ayar Cachi   d. fundó Cuzco.

20 **¿Qué hicieron los hermanos Ayar?**

▶ Explica el significado de las palabras destacadas.

• Temían que Ayar Cachi pudiese hacerles daño si surgía alguna **disputa** entre ellos.

  pelea, disensión

• Por este motivo, inventaron un plan para **deshacerse** de Ayar Cachi.

  librarse, desembarazarse

21 **¿Qué pasó primero?**

▶ Ordena las siguientes imágenes de acuerdo con el texto.

22 **Un cruel engaño**

▶ Responde. ¿Qué opinas de que los hermanos encerraran a Ayar Cachi en la cueva?

  No me parece bien, porque lo abandonaron.

PREPARANDO LA COMIDA

Los domingos, mi hermano y yo preparamos la comida. Él se encarga de la ensalada: **lava** la lechuga y la **aliña** con aceite y vinagre. Yo **frío** papas y huevos para todos o **cuezo** pasta. ¡Mis padres se merecen un descanso!

23   ¡Qué caos de cocina!

▶ **Busca los objetos del recuadro y escribe dónde se encuentran.**

cazo
sartén
olla
cucharón
microondas
horno
freidora
tostadora
fregadero
cafetera

El cazo está en el fregadero. **La sartén está en la meseta. La olla está en la estufa. El cucharón está en la estufa, a la izquierda de la olla. El microondas está en la meseta, encima del horno. La tostadora está en la meseta, al lado de la cafetera.**

24   **Cocinando juntos**

▶ **Escribe cada acción bajo la imagen que le corresponde.**

asar	aliñar	freír	cocer

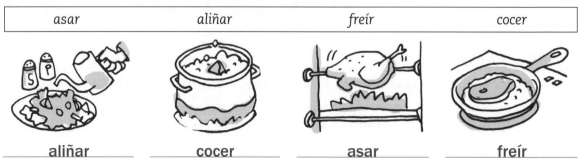

aliñar   cocer   asar   freír

25 **En parejas**

▶ Relaciona cada palabra de la columna A con una palabra de la columna B.

Ⓐ   Ⓑ

1. aliñar —————— a. huevo
2. freír —————— b. ensalada
3. hornear —————— c. guiso
4. condimentar —————— d. pizza

▶ Escribe una oración con cada par de palabras.

1. Mi hermana aliña la ensalada para la cena.

2. Freír un huevo es muy fácil.

3. Vamos a hornear una pizza para la fiesta.

4. Para condimentar el guiso necesitas sal y pimienta.

26 **¡Vamos a comer!**

▶ Escribe la definición que corresponde a cada palabra destacada.

| 1. Disfrutar los sabores. | 2. Tragar sin masticar. | 3. Abstenerse de comer. |

a. Me gusta **saborear** la comida.   Disfrutar los sabores.

b. El médico me ha recomendado **ayunar** un día.   Abstenerse de comer.

c. No soporto ver cómo lo **engulle** todo.   Tragar sin masticar.

27 ***Comer* en el *comedor***

▶ Completa con las siguientes palabras de la misma familia.

comer   • comilón   • comensal   • incomible   • comedor

1. Pedro es muy   **comilón**   y debería controlarse un poco.

2. Ese restaurante es malísimo: la mayoría de sus platos son   **incomibles** .

3. En el banquete se esperan más de cien   **comensales** .

4. Normalmente me gusta almorzar en el   **comedor**   con mi familia.

28 **Tipos de comida**

ANSWERS WILL VARY

▶ Responde. ¿Qué es la *comida sana*? ¿Y la *comida rápida*? Pon ejemplos.

La comida sana es la que nos aporta nutrientes y nos sienta bien: las verduras.

La comida rápida tarda poco en hacerse: la hamburguesa.

LA *H*. LOS DIPTONGOS *HUE*, *HIE*, *HUI*

En español, la *h* no se pronuncia. Es una letra muda que no representa ningún sonido.

La *h* puede aparecer a principio de palabra, como en *hombre* y *hielo*; o en interior de palabra, como en *deshabitado* y *ahorrar*.

Las palabras que empiezan por **hue**, **hie** y **hui** siempre se escriben con **h**.

Se escriben con *h* las palabras que empiezan por

hue	hie	hui
huevo	hielo	huipil

---

29 **¡Al diccionario!**

▶ **Completa cada definición con una palabra del recuadro.**

hueco	huir	huérfano

1. Una persona a quien se le han muerto sus padres se ha quedado __huérfana.__ .

2. Un objeto que tiene vacío el interior es un objeto __hueco.__ .

3. Alejarse deprisa por miedo es __huir.__ .

30 **¿De dónde vienen?**

▶ **Clasifica los siguientes términos de acuerdo con la palabra de la que proceden.**

✓ helada   ✓ huesito   ✓ helado   ✓ deshielo   ✓ huesudo
✓ rompehielos   ✓ osamenta   ✓ helar   ✓ óseo   ✓ deshuesar

DE LA FAMILIA DE *HIELO*	DE LA FAMILIA DE *HUESO*
helada	huesito
rompehielos	osamenta
helado	óseo
helar	huesudo
deshielo	deshuesar

31 **¿Quién, qué, dónde?**

▶ Escribe la palabra que corresponde a cada dibujo.

1. La atacó al león. _____hiena_____.

2. Marco tiene mucho dinero en su _____hucha_____.

3. El detective no encontró ninguna _____huella_____.

5. Voy a plantar tomates en mi _____huerto_____.

32 **Fuga de letras**

▶ Escribe *h* donde corresponda.

1. El perro __olisquea el _h_ueso. Luego, __engulle la carne: ¡tiene mucha _h_ambre!

2. _H_ay __alimentos con mucho _h_ierro: las lentejas y las __espinacas.

3. Su _h_ermana es una chica muy __escurridiza.

33 **Todo un misterio**

▶ Escribe *h* donde corresponda.

Misterio en la casa

El detective __estaba __eufórico. ¡Al fin _h_abía _h_allado una _h_uella

en la escena del crimen! A_h_ora ya sabía quién _h_abía robado las joyas.

Llamó a la dueña de la casa, que estaba trabajando en el _h_uerto.

Le gustaba __encargarse de quitar las malas _h_ierbas personalmente.

La mujer acudió enseguida, __impaciente por saber la verdad.

El detective le preguntó:

—¿Tiene algún _h_uésped en su casa?

—Sí —respondió ella—, una __amiga mía se __aloja aquí este mes.

El detective suspiró. No sabía cómo decirle aquello. Temía

__entristecerla.

UNA BIOGRAFÍA

El último emperador de los incas fue Atahualpa.

Atahualpa nació en 1500, luchó contra su hermano y se coronó emperador en 1532. Fue hecho prisionero por los conquistadores españoles.

Murió ahorcado en 1533.

Una **biografía** es un texto en el que se cuentan **los datos** más importantes **de la vida de una persona**.

34 **¿A quién le importa?**

▶ **Elige en cada caso el dato que incluirías en una biografía de los siguientes personajes.**

☑ Mario Vargas Llosa, célebre escritor peruano, obtuvo el Premio Cervantes en 1994.
☐ Mario Vargas Llosa, célebre escritor peruano, es muy amable.

☐ Al cantante Don Omar le gusta comer pizza.
☑ El cantante Don Omar nació en Puerto Rico en 1978.

☑ El actor Brad Pitt empezó su carrera profesional como modelo.
☐ El actor Brad Pitt suele llevar vaqueros.

35 **¿Quién es y qué hace?**

▶ **Lee la ficha y escribe un breve texto con esos datos.**

- **Nombre:** Shakira Isabel Mebarak
- **Fecha de nacimiento:** 2 de febrero de 1977
- **Lugar de nacimiento:** Barranquilla (Colombia)
- **Profesión:** cantautora

Shakira Isabel Mebarak, conocida como Shakira, es una cantautora que nació el 2 de febrero de 1977 en Barranquilla, Colombia.

36 **Todo a su tiempo**

Mario Vargas Llosa es un célebre novelista peruano y uno de los escritores más importantes en lengua española.

▶ **Ordena los siguientes datos de la vida de Mario Vargas Llosa.**

2️⃣ A los diez años se mudó a Lima.

4️⃣ Estudió Derecho y Literatura en la Universidad de Lima.

1️⃣ Nació en Arequipa (Perú) en 1936.

7️⃣ En 1969 publicó una de sus mejores novelas, *Conversación en la catedral*.

3️⃣ Con catorce años entró en el Colegio Militar Leoncio Prado.

6️⃣ En 1967 obtuvo el Premio Rómulo Gallegos.

5️⃣ Publicó su primera novela, *La ciudad y los perros*, en 1963.

8️⃣ En 1994 fue galardonado con el Premio Cervantes.

9️⃣ Actualmente sigue publicando novelas y ensayos.

▶ **Responde. ¿Cómo has ordenado los datos? ¿Por qué lo has hecho así?**

Por orden cronológico. Porque es una biografía.

37 **Mario Vargas Llosa**

▶ **Escribe un párrafo con la biografía de Mario Vargas Llosa.**

ANSWERS WILL VARY

Mario Vargas Llosa nació en Arequipa, Perú, en 1936. A los diez años se mudó a Lima y a los catorce entró en el Colegio Militar Leoncio Prado. Estudió Derecho y Literatura en la Universidad de Lima. Publicó su primera novela, *La ciudad y los perros*, en 1963 y en 1967 obtuvo el premio Rómulo Gallegos. En 1969 publicó una de sus mejores novelas, *Conversación en la catedral*. En 1994 fue galardonado con el Premio Cervantes y actualmente sigue publicando novelas y ensayos.

EL ORIGEN DE LA PALABRA *CEVICHE*

El ceviche es uno de los platos más importantes de la comida tradicional peruana. Se trata de un plato con más de dos mil años de antigüedad, preparado a base de pescado fresco, limón y cebolla. Pero ¿cuál es el origen de la palabra *ceviche*?

Hay muchas teorías diferentes sobre el nacimiento del sustantivo *ceviche*. Algunos estudiosos afirman que procede del inglés, ya que los marineros ingleses llamaron a este plato típico *sea beach*. Otros, sin embargo, sostienen que proviene del adjetivo *encebollado*, pues la cebolla es uno de sus ingredientes básicos.

También hay quienes creen que el origen de esta palabra se encuentra en el sustantivo *cebo*. Durante muchos años, el ceviche fue empleado como cebo por los pescadores en la costa peruana. Cuando llegaba la hora de comer, el patrón del barco repartía el cebo sobrante entre los pescadores, quienes le añadían limón, cebolla y sal para hacer su sabor más agradable.

Una teoría más extendida afirma que el sustantivo *ceviche* procede de la palabra árabe *sikbaq*. El *sikbaq* es un método de conservación de los alimentos mediante el uso de productos ácidos, como el vinagre o el limón.

Otra hipótesis mayoritaria dice que *ceviche* procede de la palabra quechua *siwichi*, que significa *pescado fresco o tierno*. Muchos historiadores piensan que esta palabra quechua se fundió con la palabra árabe *sikbaq* durante la época colonial. Así, la suma de ambas daría lugar a la actual *ceviche*.

En conclusión, no se sabe con certeza cuál es el origen de su nombre. Pero, sea cual sea, el ceviche es, sin duda, uno de los platos más célebres y deliciosos de la variada gastronomía peruana.

38 **La verdad sobre el ceviche**

▶ **Indica si las siguientes afirmaciones son ciertas (C) o falsas (F).**

1. El ceviche es un plato típico de la comida tradicional boliviana. C (F)
2. Los ingleses fueron quienes inventaron la receta del ceviche. C (F)
3. Solo hay dos teorías ciertas sobre el origen de la palabra *ceviche*. C (F)
4. La palabra *ceviche* puede proceder del árabe o del quechua. (C) F
5. Durante el imperio inca no se preparaba *ceviche*. C (F)
6. No se conoce con seguridad el origen de la palabra *ceviche*. (C) F

39 **Buscamos datos**

▶ **Responde.**

1. ¿Cuál es la antigüedad del ceviche? <u>Dos mil años.</u>

2. ¿Qué ingredientes se necesitan para el ceviche? <u>Pescado fresco, limón y cebolla.</u>

3. ¿Qué significa la palabra árabe *sikbaq*? <u>Método de conservación de los alimentos.</u>

4. ¿A qué lengua pertenece el sustantivo *siwichi*? <u>Al quechua.</u>

40 **Pares de palabras**

▶ **Sustituye cada palabra destacada por una palabra del texto.**

• Hay muchas **teorías** diferentes sobre el nacimiento del sustantivo *ceviche*. <u>hipótesis</u>

• Los marineros ingleses llamaron a este plato **típico** *sea beach*. <u>tradicional</u>

• Algunos estudiosos afirman que **procede** del inglés. <u>proviene</u>

• Otros, sin embargo, **sostienen** que proviene del adjetivo *encebollado*. <u>afirman</u>

41 **Razonamos juntos**

▶ **Piensa y responde.**

1. ¿En qué se parecen la palabra *ceviche* y la expresión *sea beach*?

   <u>En la pronunciación.</u>

2. ¿Qué tiene que ver el ceviche con la palabra *encebollado*?

   <u>La cebolla es uno de los ingredientes básicos del ceviche.</u>

3. ¿Por qué es posible que *ceviche* proceda de una mezcla entre *sikbaq* y *siwichi*?

   <u>Porque muchos historiadores piensan que estas palabras se fundieron</u>

   <u>durante la época colonial.</u>

¡A COMER!

Mi amiga Sara es muy **golosa**. Siempre está comiendo dulces. Yo soy algo **glotón** y me gusta mucho la pasta. Anoche, por ejemplo, **me atiborré de** espaguetis. ¡Me encantan!

42 **¿Dónde se guardan?**

▶ **Escribe el nombre del recipiente que corresponde a cada alimento. Luego relaciona cada recipiente con el dibujo apropiado.**

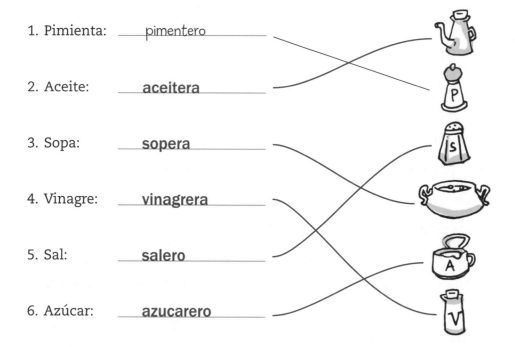

1. Pimienta: pimentero

2. Aceite: **aceitera**

3. Sopa: **sopera**

4. Vinagre: **vinagrera**

5. Sal: **salero**

6. Azúcar: **azucarero**

43 **El intruso**

▶ **Subraya la palabra intrusa en cada serie y explica tu elección.**

1. cuchara, <u>vaso</u>, tenedor, cucharilla

   Porque son cubiertos.

2. plato, copa, fuente, <u>mantel</u>

   Porque son recipientes.

3. vinagre, sal, azúcar, <u>pimentero</u>

   Porque son condimentos.

44 **¡Qué hambre!**

▶ **Lee las siguientes oraciones y responde. ¿Qué significan las expresiones destacadas?**

1. Anoche **me hinché** de pizza, por eso dormí mal.

2. No es bueno **atiborrarse de** pasteles después de comer.

Llenarse, saturarse de comida, comer mucho, comer en exceso.

45 **¿Quién es quién?**

▶ **Escribe cada palabra al lado del personaje que le corresponda.**

glotón	goloso	desganado

1. A Julio le encantan los dulces y el chocolate. Es muy _____**goloso**_____.

2. A Ramiro no le apetece comer nada. Está _____**desganado**_____.

3. Aníbal come siempre en exceso. Es un _____**glotón**_____.

▶ **Responde. ¿Te describe a ti alguna de las palabras anteriores? ¿Por qué?**

Sí, la palabra *goloso*, porque me gusta mucho comer dulces.

46 **Diferencias**

▶ **Observa y responde.**

Román

Andrés

1. ¿Quién come *como una lima*? _____**Román**_____

2. ¿Quién come *como un pajarito*? _____**Andrés**_____

▶ **Escribe las diferencias que hay entre ambos dibujos.**

Román es un glotón y su mesa está llena de platos de comida.

Andrés está delgado y su mesa tiene pocos platos de comida.

LA H. LOS VERBOS *HABER* Y *HACER*

Todas las formas de los verbos **haber** y **hacer** se escriben con **h**:

Hacer

- *hago, haces, hace, hacemos, hacéis, hacen.*
- *hice, hiciste, hizo, hicimos, hicisteis, hicieron.*
- *hacía, hacías, hacía, hacíamos, hacíais, hacían.*
- *haré, harás, hará, haremos, haréis, harán.*
- *haría, harías, haría, haríamos, haríais, harían.*
- *hecho, haciendo.*

Haber

- *he, has, ha, hemos, habéis, han, hay.*
- *hube, hubiste, hubo, hubimos, hubisteis, hubieron.*
- *había, habías, había, habíamos, habíais, habían.*
- *habré, habrás, habrá, habremos, habréis, habrán.*
- *habría, habrías, habría, habríamos, habríais, habrían.*
- *habido, habiendo.*

Recuerda que el verbo **haber** se emplea como auxiliar para formar el pretérito compuesto:

- Ya se lo **he dicho** a Martín.
- ¿Todavía no **has comido**?
- Esta mañana **ha salido** temprano.
- **Hemos quedado** todos aquí.

47 **Un día intenso**

▶ Escribe lo que Ángela ha hecho hoy.

Ángela ha desayunado a las ocho en punto. **A las nueve ha llegado a la escuela y a las once y media ha jugado al baloncesto.**

A las dos ha almorzado con sus padres. Después, a las cinco, ha empezado sus tareas y a las ocho ha jugado un rato con sus muñecas. Ángela ha cenado a las nueve y media y se ha ido a dormir a las diez y media.

48 **Una confusión habitual**

▶ Completa cada oración con una palabra del recuadro.

1. ¿ __Hay__ alguien aquí?

2. __Ahí__ ponen el mejor seco de carne de la ciudad.

3. ¡ __Ay__ ! ¡Me he hecho daño!

| hay |
| ahí |
| ay |

49 **En plena actividad**

▶ Completa las siguientes oraciones con una forma del verbo *hacer*.

• Mis amigos __hacen__ mucho deporte.

• Siempre __hago__ caso a mis padres.

• Tu regalo me __hace__ muy feliz.

• Por favor, no __hagan__ ruido.

• Si tuviera tiempo, __haría__ los deberes.

• Mañana __hago__ ese trabajo.

• ¿Por qué no lo __hice__ bien?

• Estoy __haciendo__ tiempo.

• Acabo de __hacer__ esa llamada.

• Yo __hago__ manualidades.

50 **Rompecabezas**

ANSWERS WILL VARY

▶ Forma palabras y escribe una oración con cada una de ellas.

1. re + hacer = __rehacer__

   __Tuve que rehacer mi tarea porque tenía un error.__

2. des + hacer = __deshacer__

   __El jarrón se cayó de la mesa y quedó deshecho en pedazos.__

51 **¿*Haber* o *hacer*?**

▶ Completa con formas de *haber* o de *hacer*.

1. __Hace__ mucho frío esta mañana. __Hay__ hielo sobre las aceras.

2. No __hay__ ninguna razón para que se __haga__ el despistado.

3. En mayo __hará__ un año que no nos vemos.

4. No __hay__ mermelada. __Hay__ que ir a la compra esta tarde.

5. Yo __hice__ los deberes, pero debo de estudiar más si quiero aprobar.

6. Yo __hago__ la compra y tú __haces__ la comida, ¿te parece?

ARGUMENTAR

Hay muchas teorías diferentes sobre el origen del sustantivo ceviche. Algunos estudiosos afirman que procede del inglés, ya que los marineros ingleses llamaron a este plato típico *sea beach*.

> **Argumentar** es **defender una idea** o una opinión **aportando razones** que justifican dicha postura. La idea que se defiende se llama **tesis** y cada una de esas razones se llama **argumento**.

52 **¿Con qué te quedas?**

▶ **Escribe un argumento para defender cada una de estas dos tesis.**

1. El fútbol es más emocionante que el baloncesto.

   Porque es más difícil anotar un gol que una canasta.

2. El baloncesto es más emocionante que el fútbol.

   Porque el baloncesto es más dinámico que el fútbol.

▶ **Responde. ¿Con qué tesis estás más de acuerdo?**

   Con la primera: la dificultad hace más interesante el deporte.

53 **Completamos una argumentación**

▶ **Completa el texto con las siguientes palabras y expresiones.**

✓ *pienso*   ✓ *ya que*   ✓ *porque*   ✓ *puesto que*   ✓ *a mí me parece*   ✓ *mi opinión*

> **Gastronomía peruana**
>
> Yo ___**pienso**___ que la gastronomía es un importante valor cultural del Perú ___**ya que**___ integra sabores muy distintos y de orígenes diversos. ___**Mi opinión**___ es que el gobierno debería apoyar a los chefs peruanos, ___**porque**___ su labor es fundamental para hacer que nuestra gastronomía continúe siendo innovadora. **A mí me parece** que las ferias gastronómicas son un buen modo de mostrar este apoyo, ___**puesto que**___ permiten a los chefs reunirse, cambiar opiniones y dar a conocer sus creaciones.

54 **Tesis y argumentos**

> **Negar el acoso escolar**
>
> El acoso escolar o *bullying* es un comportamiento que, incluso cuando los agresores son capaces de disimular su actitud, no puede pasar inadvertido a los profesores. Porque, como se ha demostrado en la mayoría de los casos, la persecución suele ser continua. No hay peor ciego que el que no quiere ver, y negar la evidencia es la peor forma de afrontar este problema. Porque, ¿qué pensarán los niños si los responsables de su colegio quitan importancia a una agresión que ha sido incluso grabada?
>
> Editorial de *El País* (11 de enero de 2009). Texto adaptado.

▶ **Responde. ¿Cuál es la tesis que se defiende en este texto? Elige la opción más adecuada.**

☐ El acoso escolar es un problema complicado.

☐ Los alumnos son los únicos responsables del *bullying*.

☑ Los profesores deben ayudar a evitar el acoso escolar.

▶ **Escribe los argumentos del texto que apoyen la tesis que has elegido.**

• El acoso escolar no puede pasar inadvertido a los profesores.

• Negar la evidencia es la peor forma de afrontar este problema.

• ¿Qué pensarán los niños si los responsables de su colegio quitan importancia a una agresión?

▶ **Escribe dos argumentos más a favor de la tesis del texto.**

ANSWERS WILL VARY

• Los profesores deben colaborar en la identificación de los casos de agresión.

• Los profesores deben establecer con sus alumnos normas de comportamiento de no agresión.

55 **Defiendo mis ideas**

ANSWERS WILL VARY

▶ **Responde. ¿Qué alimentos te parecen mejores? Escribe un texto con tu opinión.**

Creo que las frutas son el mejor alimento: son muy sabrosas; además hay frutas muy diferentes, algunas más dulces y otras más ácidas. Todas son muy nutritivas.

LA GASTRONOMÍA DE PERÚ

Comienza Mistura 2009

Un año más se celebra esta importante feria gastronómica peruana.

Lima, 24 sept. Mistura es la feria gastronómica peruana más importante. Es la oportunidad para homenajear a todos los actores del proceso de la cocina, desde el campesino productor de papa hasta el cocinero que prepara el potaje; desde la popular carretilla hasta el más exclusivo restaurante.

Así lo sostuvo esta mañana el chef Gastón Acurio, presidente de la Asociación Peruana de Gastronomía (Apega), quien dijo que, en un país con múltiples diferencias, la comida es el espacio donde esas diferencias se expresan de la manera más armoniosa.

Acurio afirmó también que la gastronomía peruana debe conservar y cuidar sus tradiciones, pero dejando siempre una ventana abierta a la exploración para descubrir así nuevas posibilidades.

«Recuerdo que hace muchos años mi abuela no me dejaba entrar a la cocina a comer el ceviche que había preparado, sino hasta después de ocho horas de haberle echado el limón, porque decía que estaba crudo. Hoy en día todos sabemos que su preparación es al instante.»

En Mistura se desarrollarán doce concursos para elegir, entre otros, el mejor ceviche, el mejor lomo saltado y, por supuesto, el mejor cocinero.

Gastón Acurio

Pero como Mistura quiere ir más allá de la cocina, ha incluido en su oferta el llamado «Túnel de la diversidad», un ambiente orientado a concienciar a los asistentes sobre la situación de algunas especies animales en peligro de extinción.

«Allí hablaremos sobre la necesidad de conservar el medio ambiente y de la necesidad de preservar las especies», declaró Acurio.

Fuente: http://www.andina.com.pe. Texto adaptado.

56 **Todo sobre Mistura**

▶ **Indica si las siguientes afirmaciones son ciertas (C) o falsas (F).**

1. Mistura es una feria gastronómica destinada a restaurantes exclusivos.   C   (F)
2. Gastón Acurio es el presidente de la asociación Apega.   (C)   F
3. Perú es un país con muy pocas diferencias entre sus habitantes.   C   (F)
4. El ceviche solo puede comerse ocho horas después de su preparación.   C   (F)
5. En Mistura se celebran diversos concursos gastronómicos.   (C)   F

57 **¡Nos vamos a la feria!**

▶ **Responde.**

1. ¿Qué es Mistura? ¿Dónde se celebra?

  Mistura es la feria gastronómica peruana más importante. Se celebra en Lima, Perú.

2. ¿Quién es Gastón Acurio?

  Es un chef, presidente de Apega.

3. ¿En qué consiste el «Túnel de la diversidad»?

  Un ambiente orientado a concienciar sobre la situación de algunas especies
  animales en peligro de extinción.

58 **¡A deducir!**

ANSWERS WILL VARY

▶ **Explica qué significan las palabras destacadas.**

• Mistura es la oportunidad de homenajear a los **actores** del proceso de la cocina.

  Las personas que participan en el proceso de la cocina.

• La comida es el espacio donde las diferencias se expresan de manera **armoniosa**.

  Agradable al gusto.

• Allí hablaremos sobre la necesidad de **preservar** las especies.

  Cuidar, mantener, proteger las especies de algún daño o peligro.

59 **Cuestión de lógica**

ANSWERS WILL VARY

▶ **Responde. ¿Por qué es importante, según Acurio, «dejar una ventana abierta a la exploración»?**

  Para descubrir así nuevas posibilidades en el mundo culinario.

CUESTIÓN DE GUSTOS

Mi plato está **exquisito**.
¡Y muy **picante**!
¿Te gusta el tuyo?

No, mi plato es muy **soso**
e **insípido**. ¡No sabe a nada!

60 **Palabras ocultas**

▶ **Ordena las letras para formar palabras y relaciona cada palabra de la columna A con una definición de la columna B.**

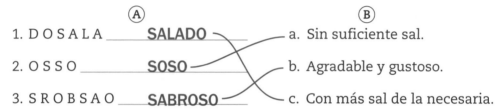

Ⓐ

1. D O S A L A _____ **SALADO**

2. O S S O _____ **SOSO**

3. S R O B S A O _____ **SABROSO**

Ⓑ

a. Sin suficiente sal.

b. Agradable y gustoso.

c. Con más sal de la necesaria.

▶ **Escribe una oración con cada palabra.**

1. El pescado que preparó mi madre estaba salado.

2. Me gustó el restaurante pero el plato de Alina estaba soso.

3. El ceviche es un plato muy sabroso.

61 **¿Les gustó?**

▶ **Lee y completa con el nombre del personaje que corresponde.**

Con esto, **mataré el gusanillo**.

Leandro

¡Se me está **haciendo la boca agua**!

Julia

El sancochado está **para chuparse los dedos**.

Luis

1. La comida de _____ Luis _____ está muy sabrosa.

2. _____ Leonardo _____ va a comer algo para saciar temporalmente el hambre.

3. _____ Julia _____ está pensando con placer en la comida.

62 ¿Está duro?

▶ Relaciona cada palabra de la columna A con otra de la columna B que signifique lo contrario.

Ⓐ

1. dulce
2. digestivo
3. tierno
4. exquisito

Ⓑ

a. duro
b. indigesto
c. incomible
d. amargo

63 ¿Bueno o malo?

▶ Indica si las palabras destacadas se refieren a aspectos positivos 😊 o negativos 😞 de la comida.

	😊	😞
1. Ese postre me resultó muy **empalagoso**.		✓
2. No bebas de esa botella de leche: está **agria**.		✓
3. ¡Qué plato más **suculento**!	✓	
4. El pan está muy **duro**, no hay quien se lo coma.		✓
5. Toda la verdura estaba **podrida**.		✓
6. Los postres peruanos son una **delicia**.	✓	

64 Cambio de palabras

▶ Sustituye cada palabra destacada por una palabra del recuadro.

jugoso	copioso	frugal	catar

1. Su primo es un experto **probando** quesos. __catando__

2. Esa fruta es especialmente **sabrosa**. __jugosa__

3. Tomaron una cena muy **abundante**. __copiosa__

4. Fue una comida muy informal y **ligera**. __frugal__

65 Mis comidas favoritas

▶ Explica cuáles son tus comidas favoritas, qué ingredientes llevan y a qué saben.

Mis comidas favoritas son la pizza y la ensalada. Me gusta la pizza picante con salami. Las ensaladas me gustan también picantes, con cebolla, y saladas, con frutos secos.

EL SONIDO J. LAS LETRAS *J* Y *G*

El sonido **J** puede escribirse con la letra *j* o con la letra *g*:

- Se escribe siempre con *j* delante de **a**, **o**, **u**.
- Se escribe con *g* o con *j* delante de **e**, **i**.

sonido **J**

j

 jaula   ajo   juguete

 tejer   jinete

g

 gente   gimnasta

---

66 **Palabras de la misma familia**

▶ Completa los siguientes pares de palabras con *g* o con *j*.

1. ca_j_a ▶ ca_j_ero   4. le_j_os ▶ le_j_ísimos   7. vie_j_o ▶ enve_j_ecer

2. ro_j_o ▶ enro_j_ecer   5. relo_j_ ▶ relo_j_ero   8. traba_j_o ▶ traba_j_illo

3. gran_j_a ▶ gran_j_ero   6. via_j_ar ▶ via_j_e   9. o_j_o ▶ o_j_ear

67 **Dibujos y palabras**

▶ Sustituye los dibujos por palabras que contengan el sonido J.

- En nuestro a África vimos muchas .

  <u>En nuestro viaje a África vimos muchas jirafas.</u>

- Esa es profesora de en mi .

  <u>Esa joven es profesora de Geografía en mi colegio.</u>

- Ese cuento habla de un  y un  encerrado en una botella.

  <u>Ese cuento habla de un gigante y un genio encerrado en una botella.</u>

68 **¡Cuánta actividad!**

▶ Une las siguientes viñetas con la acción correcta y escribe una oración con cada una.

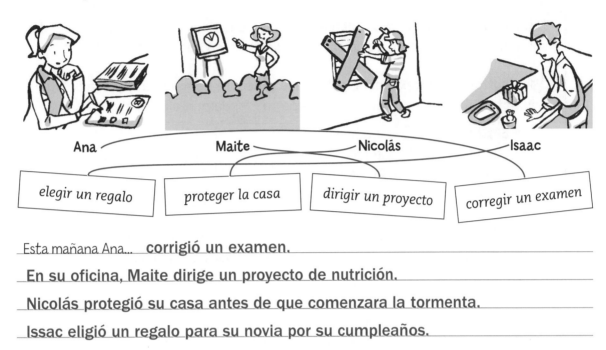

Ana   Maite   Nicolás   Isaac

| elegir un regalo | proteger la casa | dirigir un proyecto | corregir un examen |

Esta mañana Ana... **corrigió un examen.**

En su oficina, Maite dirige un proyecto de nutrición.

Nicolás protegió su casa antes de que comenzara la tormenta.

Issac eligió un regalo para su novia por su cumpleaños.

69 **¡Las letras se han ido!**

▶ Completa con *g* o con *j*.

1. elo g io
2. e j ército
3. su g erencia
4. j efe
5. g esto
6. fu g itivo

7. ur g ente
8. ma g ia
9. j uez
10. exi g ente
11. exa g erar
12. g irar

13. paisa j e
14. cangre j o
15. g ente
16. a j edrez
17. j aula
18. refu g io

▶ Escribe una breve historia en la que aparezcan cinco de estas palabras.

A Juan le gusta jugar al ajedrez y es muy exigente. Cuando viajó a Jamaica,

su jefe le sugirió que diera un paseo para ver el paisaje y conocer gente.

A Juan le gustó tanto el país que ahora es su refugio permanente.

UNA NOTICIA

El texto *Comienza Mistura 2009* (pág. 176) es una noticia en la que se nos informa sobre un hecho concreto: la celebración de una feria gastronómica en Perú.

Una **noticia** es un texto periodístico que **presenta** de manera objetiva **un suceso de actualidad**. Una noticia tiene tres partes fundamentales:

- **El titular.** Es una frase breve que presenta el contenido de la noticia. Siempre aparece con letras de mayor tamaño.

  Comienza Mistura 2009

- **La entradilla.** Resume los datos más importantes de la noticia.

  Un año más se celebra esta importante feria gastronómica peruana.

- **El cuerpo de la noticia.** Desarrolla el contenido de la noticia. En este apartado la información se ordena de mayor a menor importancia.

  Lima, 24 sept. Mistura es la feria gastronómica peruana más importante. Es la oportunidad para homenajear a todos los actores del proceso de la cocina, desde el campesino productor de papa hasta el cocinero que prepara el potaje.

70 **Hoy somos periodistas**

▶ **Escribe una noticia sobre tu escuela.**

   A. Elige un tema.

      Un viaje de estudios.   *Un acto académico: una conferencia, una graduación…*

   B. Recopila información sobre el tema elegido. Busca respuestas para las siguientes preguntas.

     1. ¿Cuál es el objetivo de tu noticia? <u>**La final del campeonato de béisbol.**</u>

     2. ¿Qué ocurrió? <u>**Nuestro colegio ganó la final del campeonato.**</u>

     3. ¿Cuándo tuvo lugar? <u>**El viernes 2 de febrero.**</u>

     4. ¿Dónde se celebró? <u>**En la cancha del colegio.**</u>

     5. ¿Quién o quiénes participaron? <u>**Nuestro equipo y el equipo rival.**</u>

     6. ¿Cómo resultó? <u>**Con la victoria de nuestro equipo.**</u>

     7. ¿Por qué se organizó esa actividad? <u>**Es parte de un campeonato anual.**</u>

C. Escribe tres posibles titulares para tu noticia. Deben ser breves y muy llamativos.

El equipo de la escuela, vencedor en béisbol

¡Ganamos!

Nuestro equipo de béisbol se alza con la victoria

D. Escribe una entradilla.
 • Anota tres datos que te parezcan fundamentales para entender tu noticia.

1. Participantes.   2. Resultado.   3. Fecha.

 • Escribe ahora una entradilla donde aparezcan esos tres datos.

El viernes pasado, nuestro equipo de béisbol se alzó con la victoria frente al equipo de la escuela Richmond.

E. Escribe tu noticia.
 • Elige un titular.
 • Escribe la entradilla y el cuerpo de la noticia. Divide la información en párrafos siguiendo este esquema:
   – Párrafo 1: qué, quién, cuándo y dónde.
   – Párrafo 2: cómo y por qué.
   – Párrafo 3: otros datos de interés.
 • Busca alguna imagen para ilustrar tu noticia.

¡Ganamos!

El viernes pasado, nuestro equipo de béisbol se alzó con la victoria frente al equipo de la escuela Richmond.

El partido comenzó a las tres de la tarde en la cancha de nuestra escuela. Después de más de 70 minutos de juego, nuestro equipo venció. Nuestros bateadores fueron claramente superiores y eso nos permitió ganar.

Tras el partido, hubo una entrega de medallas y una espectacular merienda.

MACHU PICCHU

Machu Picchu (del quechua *machu*, que significa *viejo*, y *picchu*, *cima*) es el nombre que recibe un antiguo poblado inca construido al noroeste de Cuzco a mediados del siglo XV. Este lugar, situado a más de 2.000 metros de altura, impresiona por su calidad arquitectónica.

Los arqueólogos han dividido Machu Picchu en tres grandes sectores: el barrio Sagrado, el barrio de los Sacerdotes y la Nobleza, y el barrio Popular.

- En el barrio Sagrado se hallan el Intiwatana y la Habitación de las Tres Ventanas:
  - El Intiwatana (*lugar donde se amarra al sol*) es la pieza central de un complejo sistema de mediciones astronómicas. Con él se determinaba el inicio y el fin de las campañas agrícolas.
  - La Habitación de las Tres Ventanas es una representación del lugar donde, según el mito de los hermanos Ayar, aparecieron los incas el día de la creación.
- El barrio de los Sacerdotes y el barrio Popular son dos zonas residenciales. Estaban destinadas a la aristocracia y al pueblo llano, respectivamente.

La ciudad de Machu Picchu tenía una doble misión: servía como refugio del emperador pero también era un santuario religioso.

Tras ser abandonada por los incas, la ciudad cayó en el olvido hasta 1911. Ese año fue redescubierta por el explorador norteamericano Hiram Bingham. Machu Picchu fue declarada Patrimonio de la Humanidad en 1983 y en 2007 fue elegida como una de las nuevas siete maravillas del mundo.

Fuente: http://www.machu-picchu.cc. Texto adaptado.

71 **La sociedad inca**

▶ Indica si las siguientes afirmaciones son ciertas (C) o falsas (F).

1. En la sociedad inca no había divisiones ni diferencias.   C   (F)

2. Los hermanos Ayar vivieron realmente en Machu Picchu.   C   (F)

3. Hiram Bingham fue el fundador de la ciudad de Machu Picchu.   C   (F)

4. En Machu Picchu había, al menos, dos zonas de viviendas.   (C)   F

5. Los incas abandonaron Machu Picchu en 1911.   C   (F)

72 **Dentro de Machu Picchu**

▶ Lee el texto con atención y responde.

1. ¿Qué significa Machu Picchu? ¿Por qué se llama así la ciudad?

   Significa «Vieja cima». Se llama así porque es un antiguo poblado inca.

2. ¿Qué funciones tenía la ciudad de Machu Picchu?

   Servía como refugio del emperador y como santuario religioso.

3. ¿Qué es el Intiwatana y para qué sirve?

   Es la pieza central de un complejo sistema de mediciones astronómicas y sirve para determinar el inicio y el fin de las campañas agrícolas.

73 **Así era**

ANSWERS WILL VARY

▶ Dibuja un plano de Machu Picchu de acuerdo con el texto.

Barrio Sagrado	☐ Intiwatana
	☐ Habitación de las Tres Ventanas
Barrio de los Sacerdotes y la Nobleza	
Barrio Popular	

74 **La vida en Machu Picchu**

ANSWERS WILL VARY

▶ Responde. ¿Cómo imaginas que era la vida diaria en Machu Picchu?

   Seguramente, los incas trabajaban mucho y estaban muy en contacto con la naturaleza y con las estrellas.

LA AMAZONIA PERUANA

Perú es el segundo país con mayor extensión de selva amazónica, después de Brasil. En la Amazonia peruana hay dos grandes regiones: la selva alta y la selva baja.

La selva amazónica peruana es una de las zonas con mayor diversidad biológica del planeta. Muchas de las especies que habitan en ella no han sido estudiadas.

75 **Dos ecosistemas**

La selva baja

Este ecosistema presenta un relieve plano con algunas elevaciones suaves. Ocupa la mayor parte del territorio amazónico peruano. Su clima es tropical, con altas temperaturas y fuertes precipitaciones. Su biodiversidad (vegetal y animal) es muy abundante.

La selva alta

Este ecosistema cercano a los Andes posee un relieve bastante ondulado. El clima es cálido y húmedo, con fuertes precipitaciones de noviembre a abril. La elevada altura genera diferentes climas con enorme biodiversidad.

▶ **Explica el significado de las siguientes palabras.**

- ecosistema

  Conjunto de organismos vivos que comparten el mismo hábitat.

- relieve

  Formas que tiene la superficie terrestre.

- precipitaciones

  Agua que procede de la atmósfera en forma líquida o sólida.

- biodiversidad

  Variedad de especies animales y vegetales en su medio ambiente.

▶ **Resume las principales diferencias y semejanzas entre ambos ecosistemas.**

semejanzas biodiversidad abundante y fuertes precipitaciones.

diferencias clima tropical frente a clima cálido y húmedo, relieve plano frente a relieve ondulado.

DOS ESPECIES DE LA AMAZONIA

Reino: animal.

Clase: aves.

Nombre científico: *Ara macao*.

Nombres comunes: guacamayo, lapa colorada, lapa roja, guacamayo rojo.

Descripción: es un ave de colores brillantes. Sus alas y su cola son largas y puntiagudas. Su pico es grande y robusto. Los adultos tienen un color rojo brillante, con una gran mancha amarilla.

Distribución geográfica: desde México hasta Perú; Bolivia y este de Brasil.

Hábitat: anidan en las cavidades de los troncos.

Alimentación: se alimentan de frutos, nueces, flores y néctar.

Reino: animal.

Clase: mamíferos.

Nombre científico: *Ateles paniscus*.

Nombres comunes: coatá, mono araña, mono araña común, mono araña negro.

Descripción: mide entre treinta y sesenta centímetros, aproximadamente. Su cola puede llegar hasta los noventa centímetros. Su peso oscila entre los cinco y los once kilos. Emplea la cola para sujetarse con la misma facilidad que sus otras extremidades.

Distribución geográfica: natural de América del Sur, se encuentra principalmente en Perú y Brasil.

Hábitat: en selvas lluviosas. Suele vivir en grupos que se separan en subgrupos durante el día.

Alimentación: básicamente, frutas.

---

76 **¿De cuál se trata?**

▶ **Completa la tabla. Indica qué características corresponden a cada animal.**

	GUACAMAYO	MONO ARAÑA
1. Puede llegar a pesar once kilos.		✓
2. Vive en los troncos de los árboles.	✓	
3. Pertenece a la clase de los mamíferos.		✓
4. Emplea la cola para sujetarse y trepar.		✓

77 **Seamos lógicos**

▶ **Responde a las siguientes preguntas usando datos de ambas fichas.**

• ¿Por qué crees que el *Ateles paniscus* se llama también *mono araña*?

  Porque emplea su cola y sus extremidades pare sujetarse.

• ¿Qué rasgos tienen en común el *Ara macao* y el *Ateles paniscus*?

  Ambos se pueden encontrar en Perú y Brasil.

  Se alimentan de frutas.

  Sus colas son largas.

ORIENTE EN PERÚ

Durante el siglo XIX llegaron a Perú numerosos inmigrantes chinos y japoneses deseosos de trabajar en sus tierras.

Ambas comunidades han dejado una gran huella en la cultura peruana. Ejemplos de este proceso de mestizaje cultural son las chifas (restaurantes de comida chino-peruana), la práctica del juego del *go* (de origen chino) o la influencia cultural de los *nisei* (primera generación de japoneses nacidos en Perú).

78 **Nuevos amigos**

▶ **Responde.**

1. ¿Cuál fue el motivo de la llegada de la comunidad china y japonesa a Perú?

   <u>Para trabajar en sus tierras.</u>

2. ¿Cuándo comenzó ese fenómeno? ¿Qué consecuencias tuvo?

   <u>Comenzó en el siglo XIX. Ha dejado una gran huella en la cultura peruana.</u>

3. ¿Qué entiendes por «mestizaje cultural»?

   <u>Es la mezcla de dos o más culturas.</u>

4. ¿Cómo influye la emigración en ese proceso?

   <u>Los inmigrantes aportan costumbres y tradiciones de su propia cultura que</u> se mezclan con la cultura local para dar origen a una nueva identidad.

79 **¿China o Japón?**

▶ **Elige la expresión que significa lo mismo que la palabra destacada en cada caso.**

1. Según el escritor Augusto Higa Oshiro, ser *nisei* es una forma de ser peruano.
   - ☑ peruano con raíces japonesas.
   - ☐ japonés afincado en Perú.
   - ☐ peruano con orígenes chinos.

2. Dos platos de la comida **chifa** son el arroz chaufa y la sopa wantán.
   - ☐ china de origen peruano.
   - ☐ importada de China por los peruanos.
   - ☑ china adaptada al gusto y a los ingredientes peruanos.

CHINA, JAPÓN... Y PERÚ

Los primeros emigrantes chinos y japoneses llegaron a Perú en el siglo XIX. Venían a trabajar en las haciendas de la costa. Poco a poco, ambas comunidades fueron insertándose en la sociedad y adaptándose a sus costumbres.

Durante el siglo XIX, los campesinos chinos y japoneses vivían en condiciones de semiesclavitud. Por eso, todos ellos trabajaban muy duro para comprar su libertad. Así fue como muchos campesinos chinos decidieron instalarse en la ciudad y abrir fondas donde servían comida a las clases populares. Estas fondas son el origen de las actuales chifas.

Al principio, la comunidad japonesa era un grupo cerrado dentro de la sociedad peruana. Pero a mediados del siglo XX los japoneses comenzaron a mezclarse con el pueblo peruano. Así fue como nacieron los *nisei*, es decir, la primera generación de japoneses nacida en el extranjero.

En la actualidad, la convivencia entre chinos, japoneses y peruanos es uno de los factores que contribuyen a la riqueza cultural de Perú.

80 Mezcla de culturas

▶ **Indica si las siguientes afirmaciones son ciertas (C) o falsas (F).**

1. La comunidad japonesa se mezcló con los peruanos enseguida.   C   Ⓕ
2. El origen de las chifas son las fondas japonesas.   C   Ⓕ
3. La vida de los primeros inmigrantes orientales no era nada fácil.   Ⓒ   F
4. Los *nisei* son peruanos nacidos en Japón.   C   Ⓕ

81 Una nueva vida

▶ **Piensa y responde.**

1. ¿Qué dificultades imaginas que tendrían los primeros inmigrantes chinos y japoneses que llegaron a Perú?

   No conocían el idioma ni las costumbres del país.

2. ¿Cómo crees que se sintió la primera generación de *niseis* en Perú?

   Probablemente, echaban de menos su tierra y sus costumbres.

82 Es bueno convivir

▶ **Escribe tu opinión sobre la importancia de la convivencia entre culturas y países.**

   Creo que es muy importante que convivamos para que lleguemos
   a entendernos y respetarnos.

DESAFÍO 1

83 **Frutas y verduras**

▶ Dibuja los siguientes alimentos.

una cebolla	un limón	un aguacate	una lechuga

84 **El sonido I**

▶ Completa las siguientes oraciones con una forma correcta del verbo entre paréntesis.

1. Hoy _____**estoy**_____ (estar) muy contento: viene mi primo de visita.

2. A veces no me _____**doy**_____ (dar) cuenta de nada.

3. ¿_____**Hay**_____ (haber) agua en la nevera?

DESAFÍO 2

85 **Preparando la comida**

▶ Describe las acciones de los siguientes dibujos.

1. **freír** _____

2. **cocer** _____

3. **aliñar** _____

86 **La *h*. Los diptongos *hue*, *hie*, *hui***

▶ Escribe *h* donde corresponda.

1. hielo	3. huida	5. __untar	7. hueco	9. huelga	11. hiena
2. huerta	4. hierba	6. __ilógico	8. huella	10. hueso	12. hiedra

DESAFÍO 3

87 **¡A comer!**

▶ Escribe el nombre del recipiente en el que se guardan los siguientes alimentos.

1. la pimienta ___pimentero___   2. el aceite ___aceitera___   3. el azúcar ___azucarero___

88 **La _h_. Los verbos _haber_ y _hacer_**

▶ Completa con formas de los verbos _haber_ o _hacer_.

1. Hoy ___hice___ deporte. Mañana ___haré___ los deberes.

2. ___Hay___ que organizarse para que todo esté ___hecho___ cuanto antes.

DESAFÍO 4

89 **Cuestión de gustos**

▶ Escribe una palabra que signifique lo contrario.

1. salado ___dulce___   2. duro ___suave___   3. amargo ___dulce___

90 **El sonido J. Las letras _j_ y _g_**

▶ Completa con _g_ o con _j_.

Los _g_emelos _g_igantes _j_untaron sus _j_uguetes en una _j_aula con ver_j_as.

91 **Machu Picchu**

▶ Explica qué es el Machu Picchu y dónde está.

___Es un antiguo poblado inca y está al noroeste de Cuzco, Perú.___

92 **La Amazonia peruana**

▶ Define los siguientes conceptos.

1. ecosistema ___conjunto de organismos vivos que comparten el mismo hábitat.___

2. biodiversidad ___variedad de especies animales y vegetales en su medio ambiente.___

93 **Oriente en Perú**

▶ Explica quiénes son los _nisei_.

___La primera generación de japoneses nacidos en Perú.___

CRÉDITOS FOTOGRÁFICOS